U0116743

故宫·宫殿

主編　于倬雲

商務印書館

前言

中國歷史上曾經有過很多著名的宮殿建築，如秦阿房宮、漢未央宮、唐長安城、宋汴京城以及元大都等，但是我們今天只能從文獻和遺址中略知這些宮殿的梗概。只有明、清兩代的紫禁城宮殿至今尚保存完整，巍然屹立在北京城的中軸線上。紫禁城宮殿是中國現存規模最大的木結構建築羣，也是世界罕見的古代宮殿建築羣。

紫禁城宮殿雖然建成於十五世紀二十年代，但它卻是集中國古代傳統宮殿建築之大成，佈局和建築技術都是繼承了歷代宮殿建築的優秀成果而又有進一步的創造，在中國建築史上佔有極重要的地位。

為了全面、系統地介紹紫禁城宮殿，並由此展示中國古代傳統建築的高超技術和藝術，故宮博物院與香港商務印書館決定合作編輯出版這部《紫禁城宮殿》。本書由中國文物保護技術協會副理事長、故宮博物院古建部副主任、高級工程師于倬雲先生主編並親自撰寫導論，綜論紫禁城的營建沿革、規劃設計思想以及有關方面的建築藝術。

本書精選大量照片展示紫禁城內主要宮、殿、樓、閣、門等各類型建築物的外景、內景、裝修、裝飾、陳設以及有關的設施，並分章撰寫專文作深入淺出的概述。除此而外，另有圖片説明作為輔助性的解説，以增加知識性和趣味性。除攝影圖片外，也有不少故宮珍藏的歷史畫、建築實測圖等各類墨線圖。

本書是在本院有關部門通力合作下完成的。本院古建部、研究室、陳列部、保管部和羣工部等都承擔了部分的工作任務。本院出版工作委員會副主任、《故宮博物院院刊》總編輯劉北汜先生、出版工作委員會副主任、研究室主任吳空先生協助主編工作；古建研究人員鄭連章、劉策先生和茹競華女士參與編寫和製圖；周蘇琴女士具體組織拍攝和資料蒐集工作；書內主要照片是由攝影師高志強、胡錘先生攝製的。

另外，天津大學建築系副教授童鶴齡先生為本書繪製《紫禁城鳥瞰圖》，在此一併致謝。

故宮博物院
1982 年 3 月

目　錄

其他設施

附錄

紫禁城鳥瞰圖（童鶴齡 繪）

紫禁城宮殿的營建及其藝術

建築沿革

　　紫禁城位於現今的北京，原是明、清兩代的皇宮。明代的十四個皇帝和清代的十個皇帝，凡四百九十一年中先後在這裏發號施令，統治中國。

　　按照中國古代對太空星球的認識和幻想，謂有紫微星垣（即北極星），位於中天，眾星環繞，位置永恆不移，是天帝所居，稱紫宮，並援其「紫微正中」之義，來象徵世上帝皇的居所。而且皇帝所居的宮殿屬禁地，戒備森嚴，不許平民越雷池半步，因此明、清皇宮就有「紫禁城」之名。這個命名，更增添了皇宮的神秘色彩。

　　紫禁城宮殿是明成祖朱棣在位時營建的。明太祖朱元璋建國時，定都金陵，稱為南京，封他的四子朱棣為

紫禁城位置示意圖

明成祖朱棣（1360—1424）

明朝第三位皇帝。明太祖朱元璋第四子，建文帝朱允炆之叔父。建文四年（1402）即位，在位二十二年（1402—1424），年號「永樂」。

燕王，駐守北平府（北京）。朱元璋在位三十一年死去，太孫建文帝繼位。朱棣不服，用武力攻取了南京，承繼了皇位，改年號為永樂。朱棣長居北方，深感北元殘餘勢力的威脅，出於軍事上的考慮及鞏固政權的需要，他於永樂四年（1406）下詔遷都北京，永樂五年五月開始營建北京宮殿、壇廟與自己的陵寢（即長陵）。他首先派遣大臣到四川、湖南、廣西、江西、浙江、山西諸省採木，並派侯爵陳珪（1335—1419）督製北京城與紫禁城的改建規劃。具體規劃則由被譽為「才智過人、經劃有條」的規劃師吳中（1372—1442）負責。

當時的規劃有三大特點。

紫禁城宮殿鳥瞰

第一，明代北京宮殿是在元大都的基址上營建的。當擬製規劃時，規劃師們不僅掌握了元大都的基本情況，而且十分熟悉地上建築的情況，水系的來龍去脈以及暗溝的排水高程和坡度，因此在營建新城時得以充分利用原有的遺物，節省了很多工程量。由於紫禁城中缺乏水面，所以把太液池中的水從城垣的西北隅引入，向南回繞，在紫禁城的午門內的一段就是美麗的內金水河，然後從東南方向流出，經菖蒲河、御河和通惠河接通。

第二，明代的都城規劃吸取了歷代都城規劃的優點，對元大都宮殿佈局做了許多改動。元朝的大內正門崇天門（午門）至大都正門麗正門的距離較近，沒有北宋汴京宮前天街的那種雄偉深邃的氣魄。明代的北京規劃遂吸取了宋代汴京宮前「州橋南北是天街」的佈局，把京城的南面城牆向南推出了里許，到現在正陽門的位置，從而使正陽門到紫禁城之間形成了一條筆直而漫長的中軸線。從正陽門北向，經大明門（清時稱大清門）、外金水橋、承天門（清代改稱天安門）及端門，才能看到巍峨雄峙的紫禁城的大門 —— 午門。這些門闕構成引人入勝的空間，有如宮前的序幕，增加了紫禁城莊嚴肅穆的氣氛。

明代在承天門外中軸線的兩側，

《康熙南巡圖》（從正陽門外到端門部分）

《清明上河圖》局部

北宋張擇端繪，現藏於故宮博物院。寬24.8厘米，長528.7厘米，絹本設色。作品以長卷形式，採用散點透視構圖法，生動記錄了中國十二世紀北宋都城東京（又稱汴京，今河南開封）的城市面貌和當時社會各階層人民的生活狀況，是北宋時期都城汴京繁榮的見證，也是北宋城市經濟情況的寫照。在 5 米多長的畫卷裏，共繪了數量龐大的各色人物，牛、騾、驢等牲畜，車、轎、大小船隻，房屋、橋樑、城樓，各有特色，體現了宋代建築的特徵。

元、明北京城變遷圖

■■ 元大都城坊宮苑平面配置想像圖
■■ 北京內外城平面略圖

佈置着千步廊與衙署，在承天門內東西朝房兩旁，佈置了「左祖右社」[1] 的太廟和社稷壇。這樣的佈置改變了元朝「左祖右社」遠離皇城的情況，使太廟與社稷壇緊連皇宮。

第三，元朝的宮殿佈局是以瓊島為中心的三處宮殿羣（興聖宮、隆福宮和大內），興聖宮和隆福宮是后、妃及太子的宮室，大內為帝后的正衙和寢宮。大內周圍環以宮城，但無護城河，宮後的御苑中也無景山。明代把太后嬪妃的宮室都佈置在紫禁城內，並沿紫禁城周圍挖了 52 米寬的護城河，使紫禁城增加了一道防禦工事。從護城河中挖出的土方多達百萬立方米，運至宮後的御苑，堆成高達 49 米的萬歲山（今稱景山）。這個設計既符合南京明宮殿後面以萬歲山為屏障的雄偉構想，又節省了土方的運輸。到了清乾隆年間，在萬歲山的五峰之上建起五座玲瓏秀麗的亭子，給紫禁城的山屏添了一景。登上景山萬春亭極目遙望，可以看到世界上唯一的景象 —— 琉璃瓦頂金光閃爍的「宮殿之海」—— 紫禁城。

1　指宮殿的左邊（東）是祖廟，右邊（西）是社稷壇，左右對稱。古代以左為上，所以左在前，右在後。

施工準備

在紫禁城裏建築的樓台殿閣，如按幢計算，約近千幢（古時稱為座，包括內務府、上駟院及值房等）。其中既有規模宏偉的大殿，又有造型複雜的亭閣；既有玲瓏精緻的工藝，又有罕見龐大的巨材。因此做營建規劃時，要算出需花多少錢，用多少工，備多少料，如何安排工程進度，確是一件不簡單的事。

採木

古建築中木材是最重要的材料。明代營建宮殿時，對木材質量要求很嚴格，木架和裝修都用上好的楠木（香楠或金絲楠）。這種材料產於四川，無論在山中採伐，還是運輸巨木來京城，都是非常艱險的事。「入山一千，出山五百」這句諺語，就充分說明了木材採伐運輸上的艱難，也可以看出明宮殿的建造消耗了多少人的血汗。

當時運輸的辦法是將木材滾進山溝，做成木筏，待雨季山洪暴發，將木筏沖入江河，順流而划行。遇到逆水時，便上岸拉縴。運輸木材的道路主要有兩條。一是通過運河、通惠河運到北京的神木廠。如浙江省的木材由富春江入大運河，經天津入北運河，再經通惠河入北京；江西省的木材通過贛江入長江；兩湖的木材通過湘江與漢水入長江；四川的木材通過嘉陵江與岷江入長江，然後經運河

北上，往往需要三四年的時間才能到達。以上這些地區，所產的良材美木多是特等巨材，當時稱為神木。經這條渠道的木材由於產地廣，貨源足，因此從通州張家灣到北京崇文門的通惠河中，大量木材源源不斷，依次運入神木廠。二是從山西的桑乾河經永定河，把木材運到北京的大木倉。現在北京城內西單稍北的大木倉胡同，就是沿用五百年前為營建宮殿所設木倉的位置而命名的。

當時北京城內東西兩個大木儲存場儲材充足，因此在興建紫禁城期間，從未出現過停工待料的現象。比如大木倉，有倉房 3 600 間，保存條件良好，直到正統二年（1437），仍有庫存木材 38 萬根之多。

燒製磚瓦

紫禁城宮殿所需的磚瓦，品種之多、數量之大也是十分驚人的。其用量大不僅在於房屋之多，城垣之大，而且與一些特殊的工程做法是分不開的。如庭院地面，至少墁磚 3 層，甚至墁上 7 層。全部庭院估計需用磚 2000 餘萬塊。城牆、宮牆及三台用磚量更大，估計所用城磚數在 8 000 萬塊以上。每塊城磚重 48 斤有餘，總重約 193 萬噸，因此在生產和運輸上都是非常艱巨的。

從磚的規格和質量分，主要有以下幾種。第一種是用量最大的城磚。

這種磚質地堅實，稱為停泥城磚。由於不宜細磨，所以多用在墊層和隱蔽部分。第二種是澄漿磚。這種磚，在製坯前，先將泥土入池浸泡，經過沉澱，澄出上面的細泥，晾乾後做坯。澄漿磚質地細，宜用作乾擺細磨的面磚。這種細泥澄漿磚以山東臨清的產量最多，當時規定，凡運糧船路過臨清必須裝上一定數量的磚才能北上。第三種是房屋室內和廊子地面所鋪的方磚。尺二方磚多鋪於小房室內，尺四方磚鋪於一般配房，較大的房屋均鋪尺七方磚，另外還有一種尺七以上的方磚，質地極細，敲之鏗然，聲若金屬，稱為金磚，產於蘇州松江等七府。紫禁城主要宮殿的室內都是用金磚墁地。

方磚也多賴運河和通惠河運到北京。明初，北京城內的御河可以行船，因此從運河運來的方磚可以直抵地安門外鼓樓前東側的方磚廠。現在的方磚廠胡同即以明初方磚廠而命名的。

屋頂所用的瓦件，從材料品種來分，可分三類：個別的建築物用金屬瓦頂；少數房屋用的是青瓦（也稱黑瓦或布瓦）；絕大多數的房屋為黃琉璃瓦。

琉璃瓦的規格品種較多，配件複雜。由於它製坯、塑造花紋、燒坯掛釉需要時間很長，所以必須事先訂貨。如何在事先提出備料清單，專業

紫禁城宮殿總平面示意圖

技術人員有一套傳統的計算方法。只要有了建築尺寸、屋頂形式和瓦樣號數，琉璃瓦廠便能開出各種瓦件的詳單進行燒製。安裝時保證嚴絲合縫，件件齊全。

明代燒製琉璃瓦的地點在今北京正陽門與宣武門之間的琉璃廠。今和平門外尚有琉璃廠和廠西門的地名。燒製黑瓦的窰廠在黑窰廠，即今陶然亭、窰台一帶。現在陶然亭公園的湖泊，就是五百年前製坯取土的遺跡。

關於燒窰的地點，在明代及清代乾隆年間規定：「京城之北五里之內不得設窰。」因為北京多颳西北風，如果窰廠設在西北近郊，城內空氣容易污染，所以窰廠多設在東南一帶。清康熙年間又遷琉璃廠至門頭溝琉璃渠，一方面較近原料產地，另一方面更利於北京城保持空氣清潔。

採石

一般平原的木構建築，石材的用量並不太多，但紫禁城中所用的石材，不僅數量多，而且規格異常巨大。尤其明代早期對營建宮殿的材料的規格要求極嚴。例如：

明代宮殿台基上面的階條石都要「長同間廣」，也就是石料的長度要和每間的面寬一致。譬如乾清宮明間（中心間）的面寬為 7 米，則階條石料的長度也要在 7 米以上。這種石材的開採難度是很大的，而宮殿中需要大量這種規格的石材。現在紫禁城建築中所見到的階條石，並不都是「長同間廣」，甚至太和殿的條石，也沒和柱子中心對縫，這是由於清代補配時的做法有些變化，增加了條石的數量，減少每塊的長度，以解決開採長石料的困難。

殿前御道（甬路）石板，規格也是很大的，有的重達萬斤。這種石板御道，不僅用在紫禁城中主要宮殿前，在午門到端門、天安門的中軸線上的「御街」也用這種巨型石板鋪築。以上兩種巨型石材是在京西房山縣大石窩和門頭溝青白口開採的。石質堅硬，色澤青白相間，因此稱為青白石或艾葉青。以上兩種萬斤以上的巨材，明代營建紫禁城時需要萬塊以上，開採規模確是很驚人的。三台前後的兩塊雕龍御路石板長 16.57 米，寬 3.07 米，當時開採這樣巨大而又無裂無疵的石材就更難了。據估計，每塊石材重達 250 噸，如果按採石

太和殿前御路接駁示意圖

時加荒計算，這種石料每塊起碼要重300噸以上。從當時的生產條件看，探礦、開採、運轉、吊裝等工程難度都很大。當時能夠採集應用，分析起來不外依靠兩個方法：一是運用科學方法；二是靠人多。石匠的撬棍和起重的槓秤就是利用「重量 × 重支距 = 力 × 力臂」的槓桿原理，這和現代吊車原理是一樣的。人的力量雖然有限，但人數多，做動作時喊號子，步伐一致，力量也就很大了。

明萬曆年間重建三殿時，太和殿前所需的御路石「闊一丈，厚五尺，長三丈餘」，估計這塊石料重達180噸。運輸這樣巨且重的材料，既不能用車也不能就地滾，於是選在冬季運輸，沿途每隔一里打一口井，路上潑水成冰，拽石在冰上滑行，摩擦阻力

御花園欽安殿穿花龍欄杆

較小，這在當時的條件下，不失為有效的辦法。但用這種辦法仍需民工兩萬多名，經二十八天才拽運到北京。不過這塊石材的長度僅為原來御路石材的百分之六十。為達到原來的長度，用三塊石材巧妙地拼接起來。拼接時，如果直縫對接，必露出接縫，非常醜陋。聰明智慧的石工在做這塊御路時，是以雲紋突起的曲線為拼合線，使石料之間的接觸面成為高低起伏、凸凹交錯的彎曲面，雖然用三塊石料拼合，也能嚴絲合縫地咬合為一體。因此這雕石御路雖然位於太和殿前的顯眼部位，但長期以來無人看清是拼接出來的，只是由於後來石塊走閃，出現縫隙，人們才發現三台前面正中的大石雕「御路」與保和殿的用材不同，它不是用16.57米長的石材雕製的，而是用三塊石料拼合而成的。

房山不僅出產青白石，還出產大量的白石，其中還有一種質地柔潤堅實，形如玉石，潔白無瑕的漢白玉。白石都用來做鈎欄望柱，俗稱玉石欄杆。一般的白石易於風化，只有養心殿前的御路石、御花園欽安殿的欄杆及盆景座的一些晶瑩的白石才是珍貴的漢白玉石。

當時，採集石材的場地除了房山、門頭溝，還有順義縣牛欄山和門頭溝馬鞍山的青砂石、昌平白虎澗的豆渣石和河北曲陽縣的花崗石。這些地方都較靠北京城，說明明代營建宮殿時是採用就近取材、因材製用的辦法的，採發來的石料以白石做鈎欄，青石做台基，豆渣石做溝基和路面，

花崗石做磨石地面，青砂石做次要房屋的柱礎台基用。至於現在紫禁城中尚存的少量的五色虎皮石（冰紋拼合的貼面牆石）為清代從薊縣盤山採發的，不屬於明初的備料計劃。

其他建築用料

白灰（也稱石灰）在修建紫禁城中，用量很大。白灰係用石灰岩燒製，白灰窯大都設在山腰或山腳下，靠近石灰岩產地。如房山周口店和磁家務（現在磁家務附近有「石灰廠」的地名），順義縣的牛欄山，懷柔（縣城西南有個地名叫石場），以及山西省的部分地區，設置很多石灰窯，現在門頭溝馬鞍山仍有灰質最佳的石灰窯。

宮殿的牆壁為紅色牆身，黃琉璃瓦頂的夾隴灰中也摻和紅土子抹灰刷漿。因此，紅土子的用量也是很大的。其產地在山東淄博魯山，加工在博山，博山以出紅土子著稱。

大殿室內牆壁粉刷所用的近似杏黃色的材料稱為包金土，產於河北省宣化市北面的煙筒山（文獻記載為寅洞山）。此外殿堂內的金漆寶座與室內外的油畫貼金，需用大量的金箔，是用真金打成的，厚薄均勻的箔頁多在江南加工。蘇州加工的金箔既薄且勻，無砂眼。金箔由於配比成分不同，分為庫金和大赤金兩種。

紫禁城宮殿所需的建築材料還有很多，產地也很廣，就不一一贅述了。

施工過程與著名匠師

　　紫禁城宮殿的施工是經過長期準備，周密計劃，充足備料，並做出大量預製構件之後，才在永樂十五年（1417）二月破土開工的。經過三年的大規模施工，於永樂十八年（1420）九月竣工。其規模之大，計劃之周，構造之精，進度之快，確是建築史上罕見的奇跡。這既是全國人民的血汗結晶，又是參加營建的十萬工匠與百萬夫役的勞動成果。這十萬工匠多是從各地甚至其他國家挑選來的能工巧匠，他們有的人參加設計，有的人負責管理和操作，都發揮了專業才能。

　　如陸祥、楊青、蒯祥等就都是掌握祖傳技術，應徵服役的著名匠師。

　　陸祥是祖傳的石工，從小隨父兄學石工技術。朱元璋營建南京時，他曾應徵到南京服役。陸祥石作技術高超，操作認真，他所掌管的北京宮殿壇廟石活都能雕琢精細，尺寸嚴格，工精料實，一絲不苟。從欽安殿的白石鈎欄到三台螭首的「千龍噴水」，都可以看出他精湛的技術。石材加工費力費時，紫禁城中所用石材巨，數量多，加工尤難，陸祥卻能有條不紊地事先在紫禁城外的大小石作進行打鑿、雕刻，預製後運至現場快速安裝，不差分釐，這就保證了紫禁城的工程質量與進度。

　　瓦工楊青，擅長估算，精於調配工料。他的工料估算對完成宮殿施工起了很重要的作用。因為工地人多，如果沒有好的調度，就會造成現場混亂。在緊迫的施工當中，紫禁城營建工程沒有停工待料，沒有因工序銜接不上而誤工，這與楊青善於安排工地上人數最多的瓦工、壯工是分不開的。

　　蒯祥（1398—1481）是蘇州吳縣人，為家傳的木工技術人員。他父親蒯福是一位經驗豐富、技術精湛的木工，曾主持南京宮殿的木作工程。蒯祥在少年時代隨父學藝，青年時代即到南京做木活。由於勤奮學習，刻苦鑽研，他終於成為一位優秀的木工。當蒯福告老還鄉時，蒯祥接班，接管南京宮殿的木作工作。永樂十五年（1417）紫禁城宮殿開始進入大規模施工高潮時，蒯祥隨永樂帝從南京到北京，主持宮殿的施工。

　　古代木構建築的營建，由於很多用料的尺寸都是以斗拱的模數計算出

營建紫禁城所用的墨斗

墨斗由墨倉、線輪、墨線（包括線錐）、墨籤四部分構成，是中國傳統木工行業常用工具。墨斗通常被用於測量和房屋建造等方面。其用途有三個方面：

1．做長直線（在泥、石、瓦等行業中也是不可缺少的）。方法是將濡墨後的墨線一端固定，拉出墨線牽直拉緊在需要的位置，再提起中段彈下即可。

2．墨倉蓄墨，配合墨籤和拐尺用以畫短直線或者做記號。

3．畫豎直線（當鉛墜使用）。

來的，因而木骨架的設計是各種專業設計的基準，蒯祥既能繪圖、設計，又有操作技術，因此人們稱他為「蒯魯班」。

以上三人是營建北京宮殿的石、瓦、木作的匠師代表人物。至於總體規劃設計方面的技術人才，由於他們做出的方案要先經工部審查，再由太監送給皇帝批准才能實施，因此在文獻上多記載泰寧侯陳珪、工部侍郎吳中和太監阮安的規劃設計才能。實際上，對紫禁城的規劃設計貢獻最大的是蔡信。他有瓦木各作的豐富知識，有精湛的設計才能，能深入實際，深入各作，共同討論，使設計和施工緊密結合，因此他的設計方案為各作所敬佩。紫禁城宮殿在營建中能夠順利施工，與設計師蔡信的勤勞、智慧及工作方法是分不開的。

永樂十八年（1420）九月初九，由於紫禁城宮殿即將落成，永樂帝頒佈詔書，決定於翌年元旦御新殿受賀，定北京為京師。十二月北京郊廟宮殿全部落成，但是御新殿才百日，三大殿於四月初八被火全部燒光。由於朝中有人主張回都南京，因而推遲了修復工程的時間，只得以奉天門為聽政之所。朱棣死後，其子洪熙皇帝有復都南京的打算，並命修理南京皇城。洪熙在位僅一年就病死，宣德年間的朝政，大體皆延洪熙帝的遺緒，至正統皇帝繼位，最初對是否還都南京仍頗猶豫。到了正統四年（1439）十二月，終於決定修繕兩宮和重建三大殿，令工部尚書吳中督工修建，由蒯祥負責設計與施工。修建工程於

營建紫禁城所用的門尺

門尺，也叫門光尺、魯班尺，屬於中國傳統建築用尺，用於丈量、選擇傢具、宅居的吉利尺寸。「魯班尺」不是尺，而是一種對照表。一般搭配曲尺使用，做吉凶判斷，門尺上標有紅色字和黑色字，針對使用對象把所需長度落在門尺相應的紅色部分，則為吉利。

正統五年（1440）三月開工，經過兩年全部告成。這時期，蒯祥的匠藝已達到爐火純青、巧奪天工的地步，「凡殿閣樓榭，以至迴廊曲宇，隨手圖之，無不稱上意者」。他能以兩手畫龍，合之如一。他不僅精慧聰敏，巧思善畫，而且能目量意營，準確無誤，指揮操作，悉中規制。

這次重建竣工後約一百二十年，嘉靖三十六年（1557）四月的一天傍晚，雷雨大作，奉天、華蓋、謹身殿，文、武樓，左順、右順門及午門內外朝房盡毀於雷火。當時由於沒有留存這些建築的圖紙檔案資料，掌握營繕的工官和工匠們不敢提出修復設計。只有工師徐杲和雷禮，憑着他們的精湛技藝和經驗，根據災後廢墟情況，擬出修復方案。當年十月重修奉天門，經過一冬的時間修繕大木，翌年春季宜瓦與油畫，七月即落成，並改稱大朝門。三大殿工程也於嘉靖四十一年（1562）竣工。嘉靖皇帝由於害怕再遭雷火，除命令建雷神廟外，並更名奉天殿曰皇極殿，華蓋殿曰中極殿，謹身殿曰建極殿，文樓曰文昭閣，武樓曰武成閣，左順門曰會極門，右順門曰歸極門，東角門曰弘政門，西角門曰宣治門。

「萬曆二十五年（1597）六月戊寅，三殿災……火起歸極門，延至皇極殿，文昭、武成二樓、周圍廊房一時具燼」。當時由於缺乏木材大料，需去四川、湖廣、貴州採集，因此直到十八年後，在萬曆四十三年（1615）才建成。現在的中和殿、保和殿即那時重建的建築物。天啟五年到七年（1625—1627）三大殿又經過大修，因而許多書記載這兩座大殿為天啟年間建築。事實上從屋架觀察，與萬曆年的許多手法相同，雖然中和殿在天啟五年換了一些大木，但基本骨架仍為萬曆四十三年的遺物。

當時參加修繕的工師馮巧是一位傑出的木工。自萬曆至崇禎末年，馮巧對宮殿修繕作出了很大的貢獻。他發現青年木工梁九有志鑽研技術，於是把平生的技術全部傳授給梁九，並啟發梁九以寸准尺，用模型設計的方

圓明園九洲清晏殿燙樣

屋頂燙樣

燙樣

明清建築工程中用紙、紙板、紙漿等製作的建築模型。因製作時需用熨斗烙燙成型，故稱燙樣，是中國古建築特有的產物。皇宮裏有專人製作燙樣，根據燙樣，核算要蓋的房子需要多少工料銀兩，方便皇帝了解準確信息，以便定奪具體。燙樣裏有文字標註，相當於包含了建築設計，甚至室內裝修設計，可以稱之為過去的圖紙。樣式房即製作燙樣的皇家機構，負責宮廷建築的設計與施工。

北海澄性堂燙樣

北海澄性堂燙樣
清倪 1636年—1912年
故宮博物院藏

法指導施工，使梁九掌握了精湛的工程技術。清康熙三十四年（1695）重建太和殿時，由年邁的梁九主持這項工程。他用模型設計的方法，把重簷廡殿頂的大殿，從造型、結構、規格及尺寸等都用「以寸准尺」的比例方法製造出模型，使人一目了然，這給審查設計和指導施工提供了極大的方便。現在的太和殿，就是梁九的設計成果。

古代傳授技術的另一方式是「家傳」——父傳子，子傳孫。這種傳授方式在當時的情況下也培養出一些人才。明代的木工蒯祥、石工陸祥，就是從小隨父兄學得技藝。清代初年的雷發宣、雷發達，以木工應徵到北京服役，由於他們的技術卓越，很快就被提升，擔任宮廷建築的設計工作。雷發達在主持設計工作中，創造出用草紙板燙製模型小樣的方法，簡稱「燙樣」。他所主管的設計單位稱為「樣式房」。他的技藝傳授給其子雷全玉，後來在承德離宮設計中做出很大的貢獻。其孫雷澂在圓明園設計中貢獻也很大。雷氏的技術傳至七世，直到光緒三十五年（1909），共流傳了二百四十餘年，其間凡是宮廷建築設計圖樣都出自雷家之手，所以人們稱他家為「樣式雷」。

清代的皇家工程，由樣房和算房兩個單位分工負責。樣房負責建築設計，由雷家掌管；算房負責編造各作做法，做預算、估工估料，由梁九、劉廷瓚、劉廷琦等人先後承擔，所以有「算房梁」「算房劉」之稱。

康熙八年（1669）重修太和殿舉行上樑典禮時，康熙皇帝親臨現場，焚香行禮。當大樑吊到高空，準備入榫時，預製的榫卯懸而不合，管理工程的官員慌恐不已，擔心皇帝怪罪。正在萬分焦急的時候，年已半百的雷發達，穿上官服，攀上高空，騎在樑上，手起斧落，使榫卯入位，典禮按時告成。他的現場應急表現，使康熙皇帝十分喜悅，當即敕授雷發達為工部營繕所的長班（技術領導）。

西苑勤政殿燙樣

建築羣模型

建築藝術

紫禁城宮殿是繼承歷代宮殿經驗而進一步發展的，其特點與歷代皇宮相同，均有象徵皇帝至高無上的氣概，在建築規模、建築藝術方面極為突出，從而使這個宮殿建築羣既有統一的基調，又有富麗多姿的變化。

富於變化的空間組合

要建築的空間組合富有變化，使不同的空間產生不同的視覺效果，一定要處理好建築與建築、建築與人的關係。

午門是紫禁城的正門。午門前的御街是通向皇宮的主要街道，也稱天街。街的兩旁由連簷通脊的廊廡組成了一個狹長而深邃的空間。當人們在漫長的天街上觀賞時，兩旁的廊廡猶如工整的儀仗隊。這種整齊單調的手法，旨在導人直視，步向午門，以增加宮前空間的嚴肅性。否則，如果把兩旁單調的廊廡設計為變化多端、奇光異彩的建築，則與宮前的肅穆氣氛相違，而午門的雄偉、神聖之感也會大為減色。

但進了午門，所處空間突起變化，空間由狹長的天街一變而為寬闊的庭院。庭院周圍的門廡也和宮外的不同，都建在一人多高的台基之上。由於周圍有高台環繞，更顯得建築物高大，人們置身其間，頓覺渺小，這是運用對比手法的效果。同時，庭院中心，五座飛虹拱橋和玉帶般的內金水河縱橫交織，皎白的石鈎欄穿插其間，更抓住了人們的視線。儘管午門內庭院視野廣闊，但初進紫禁城的人總是給金水橋吸引過去，使注意力集中在庭院中心，這就是藝術的魅力。

進入太和門廣場，雄偉壯麗的太和殿呈現眼前，這是紫禁城空間組合的最高潮。太和殿的雄偉，不全在於它單體建築的高大。太和殿自身，台基面積為 2377 平方米，高度為 16.93 米，僅相當於一座普通的八九層樓房。儘管它是宮中最大的建築，有着等級最尊貴的重簷廡殿頂，但如無三台的襯托、門廡的陪襯，是難以達到如今那種雄偉壯麗的藝術效果的。在寬闊的庭院和高大的宮殿面前，所謂天高地廣，人自然顯得更渺小；皇帝高踞寶座俯望三台下庭院中的人羣，越發顯出「唯我獨尊」的天子威嚴了。

後三宮與前三殿相比，建築形制雖大體類似，但體量上則有很大差別。後宮庭院闊度與前朝的相比，相差一倍。但是，主要變化在於空間組合的巧妙運用。前朝和後宮的庭院都是縱向矩形，為了區別二組宮殿性質的不同，在兩者間（即乾清門前）建了一個橫向的庭院，這種空間變化的處理，給人以關捩的轉折感。加以乾清門前陳設的「八」字琉璃影壁，標明前朝部分已經結束，進入另一性質的空間 —— 內廷。

在空間組合上區別內廷和外朝，同樣採取了對比的手法。除體量面積有差別外，相對外朝佈局疏朗，內廷則佈局緊湊，顯示後宮深森的特色。

總之，紫禁城建築的空間組合，具有縱橫交錯、疏密相間、起伏錯落的特點，是中國古代建築藝術精華的集中表現。

富有構造機能的裝飾藝術

中國古代建築中，凡屬優秀的建築裝飾都具有兩重作用：一是為了構造功能的需要；二是美的欣賞。這兩者必須有機地結合起來，才能臻裝飾

神武門　　欽安殿　　　坤寧門　坤寧宮　交泰殿　乾清宮　　　　乾清門　　　　保和殿　　　　中

紫禁城中軸線上主要建築縱剖面圖

藝術於高水準。

紫禁城宮殿的建築裝飾也多是依照這種原則而設計的，因而其裝飾部位多是以結構構件為基礎，在實用的基礎上進行美術加工，形成了多姿多彩、美輪美奐的建築裝飾。

首先，宮門前縱橫成行的門釘，金光燦爛，給人以莊嚴富貴之感，因而門釘成為宮門上的重要裝飾物。每扇大門裝九九八十一個門釘。其實，早期的門釘是為了固定門板和橫帶而設的，唐代佛殿南禪寺的大門由於門扇背後有五條橫帶（宋朝稱為幅），所以在門板上釘着五行大帽鐵釘。紫禁城的門釘釘帽較為突出，都是以銅鑄的，上面鎏金，分外引人注目。

其次，是殿堂的屋頂。屋頂最高峰的兩端和屋簷的四角，都有吻獸等裝飾物。正脊的垂脊的交接點，安裝大吻，因而屋脊兩端的大吻既是構造上的需要，又是裝飾構件，使屋面輪廓出現變化而避免呆板與單調的氣氛。

屋面上的垂脊坡度較陡，容易下滑，是建築結構的薄弱環節。為了解決垂脊滑坡的問題，在垂脊下端釘有鐵椿，釘入正心桁上。上面安放垂獸，把鐵椿扣蓋住，所以說垂獸也是有結構功能的裝飾物。

再次，房屋的簷椽是擔當屋面荷重的挑簷構件。在近代新建築中，多用封簷板把椽子遮擋掩飾，但中國古代木構建築的許多地方，不僅對結構構件毫不掩飾，而且加工上令人悅目的圖案花飾，增加了建築裝飾藝術。紫禁城宮殿中的圓椽多畫「龍眼寶珠」「虎眼寶珠」或「圓壽字」等；方形的飛椽多畫「卍」字「金井玉欄杆」或「梔子花」等。在重點建築的「椽肚」上，做瀝粉貼金的靈芝、捲草等裝飾，突出了金碧輝煌的氣派。三大殿、後三宮的椽子和飛頭就是這種做法。

另外，雄偉壯麗的「三台」石雕藝術的設計也是依照實用功能和裝飾藝術相結合的原則。每層台上周邊的玉石欄杆是為了防止人在行走時墜下所裝置的安全措施，每塊欄板之間用突出的望柱作為銜接構件，望柱和欄板的兩端鑿出溝槽狀的榫卯，同時在藝術上使縱橫線條錯落有致。望柱下伸出的石雕螭首，作用是把台上的雨水噴得遠些，以免泥水洇污潔白的須彌座。這項設計不僅襯托出三大殿雍容華貴的氣派，而且在功能上、藝術上也很有特點。晴天，在日光的照射下，層層疊退的白石座上千百個清晰的螭首的投影，猶如一幅色彩明快的水彩畫；雨天，三層螭首的千龍吐水，勝似噴泉，更蔚為奇觀。

紫禁城宮殿裝飾藝術的特點是敢於暴露結構，不做遮掩，而且利用結構構件進行藝術加工供人欣賞，因而三台的排水方法不用暗管而用千龍噴水，其他如柱頭上的雀替、斗拱、霸王拳等，都是具有結構功能又有雕刻藝術性的裝飾構件。

門釘

太和殿　　　　　　　　　　　太和門　　　　　　　　午門

陰陽五行學說的體現

中國古代的陰陽五行學説產生很早，著名的醫學典籍《黃帝內經》中稱「陰陽者，天地之道也」，認為一切事物都應分析為互相對立、互相依存的陰陽兩面。譬如：方位中的上與下、前與後，數目中的奇數與偶數，正數與負數等，均由兩種屬性組成。它把上方、前方、奇數、正數歸納為陽，下方、後方、偶數、負數歸納為陰，認為在複雜的萬物中，每樣事物都包含着陰與陽的對立統一，所以《黃帝內經》把陰陽看成「萬物之綱紀也」。

紫禁城的設計也體現了陰陽之説的運用。在紫禁城的外朝和內廷兩大部分中，外朝屬陽，內廷則為陰。因此外殿的主殿佈局採用奇數，稱為「五門」「三朝」之制。而內廷宮殿多用偶數，如兩宮六寢，兩宮即乾、坤兩宮（交泰殿係後來增建的），六寢即東西六宮，都用偶數，就是這個原因。

陰陽學説中還有「陽中之陽」與「陰中之陽」之説。太和殿為「陽中之陽」，乾清宮則為「陰中之陽」，因而這兩座大殿既有相同之點，又有相異之處。屋頂均用重簷廡殿式，室內天花正中均裝有藻井，殿前均設御路，丹墀上均陳設日晷、嘉量等，這是「陽中之陽」與「陰中之陽」的共同點。但是外朝與內廷又有所區別，如乾清宮前半部的基台用須彌座和白石鈎欄，而北部則為青磚台基，上面不用鈎欄，而用低一等級的琉璃燈籠磚，這與外朝白石三台迥然不同。這就是「陽中之陽」和「陰中之陽」的區別。

古代建築的設計，不僅取用了陰陽之説，還運用了五行之説。

「五行」二字在《尚書‧甘誓》篇已有記載。《周書‧洪範》篇中更具體地説明了五行的性質，並列出其次序——水、火、木、金、土。「五行」是人們在生活實踐中把最常接觸的物質分析歸納為五大類。如方向中有東、南、西、北、中五方，色彩中有青、黃、赤、白、黑五色，音階中有五音，人體中有五臟，以及其他五味、五穀、五金、五氣等。為理清眉目，現將五行中和建築有關的主要事物列表於下，見表①。

表①五色中的青色即綠或藍色，為木葉萌芽之色，象徵溫和之春，方位為東，所以紫禁城東部的某些宮殿，如文華殿原為太子講學之所，所以以前用綠色琉璃瓦頂，明嘉靖時因用途改變，才改用黃頂。清代乾隆年間所建的南三所，係皇子的宮室。由於幼年屬於五行中的「木」，生化過程屬於「生」，方位在東方，故用綠色瓦頂。而太后、太妃的生化過程屬於「收」，從五行來說，屬於「金」，方位為西，所以從漢代開始，把太后宮室多放在西側，歷代宮殿的建築均沿襲這個佈局。紫禁城宮殿中的壽安宮、

五行類別\具體事物	木	火	土	金	水
方位	東	南	中	西	北
五氣	風	暑	濕	燥	寒
生化過程	生	長	化	收	藏
五志	怒	喜	思	憂	恐
五音	角	徵	宮	商	羽
五色	青	赤	黃	白	黑

表①

八卦示意圖

順序號	名稱	簡捷書法	表示自然物	表示方位
1	乾	☰ 乾三連	天	西北
2	坎	☵ 坎中滿	水	正北
3	艮	☶ 艮覆碗	山	東北
4	震	☳ 震仰盂	雷	正東
5	巽	☴ 巽下斷	風	東南
6	離	☲ 離中虛	火	正南
7	坤	☷ 坤六斷	地	西南
8	兌	☱ 兌上缺	澤	正西

八卦示意表

壽康宮、慈寧宮，都佈置在西部，也是依照這個理論營建的。

　　與紫禁城同時建成的社稷壇，體現五行中的五色最為明顯。它不僅在基壇上做出表現方位的五色土，而且壇的四周矮牆也按五行中的顏色做出各色的琉璃瓦頂，東方為青藍顏色，南方為赤色，西方為白色，北方為黑色，中央為黃色。這樣佈置體現了古代五行中方位和色彩的關係。（見八卦示意圖、八卦示意表）

　　陰陽五行學說如用符號來表示：「　」代表陽，把　折為二，即「—」，代表陰，用這兩種線段排列三行，可以組合為八種形式，用以表示八種方位，同時還可以表示自然中的天、地、水、火、山、澤、風、雷八種自然物。以八個符號為基數，還可以排列出八八六十四種組合，因此把這個記錄符號稱為「八卦」。八卦的八個方位（乾、坎、艮、震、巽、

北京城中軸線主要建築位置示意圖

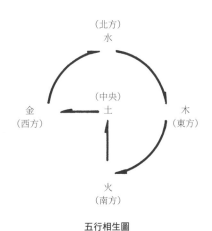

五行相生圖

離、坤、兌）為五行的四個方位（木、火、金、水）增加了四個斜角方位，即所謂四正四偶，合為八方。風和水本來是建築設計中所要考慮的課題，從日照、風向安排建築朝向，儘量做到冬季背風向陽，夏季逆風納涼，才是好的方位。所以在相地時多選擇背山面水的環境。紫禁城的形勝也是如此。從宏觀規劃來說，北京北依太行（燕山），東臨滄海（渤海），北高南低；對日照與排水都極有利。以紫禁城自身而言，北部地平要較南部高1米多，為了使宮殿前後出現背山面水的形勝，在城後堆出萬歲山（景山），在城前挖引為金水河，既美化了宮前環境，又利於排泄雨水。這是和中國古代建築重視水的來龍去脈的環境設計思想相符的，那就是在風水上要求水來自乾方，出自巽方。因此紫禁城裏的內河才自西北（乾方）引入，沿內廷宮牆之外的西側逶迤南行，至武英殿西側轉向東行，進入外朝的太和門的前方，自西向東而行。其出口在紫禁城的東南，屬於八卦中的巽方。這條河的命名也與五行相聯繫，五行中金為西方，又因這條河位於紫禁城內，因此稱為內金水河。

五行學說中的五色、五志和紫禁城中的建築色彩也有很大聯繫。在五行學說中赤色象徵喜，所以紫禁城的宮牆、簷牆也都用紅色，宮殿的門、窗、柱、框也一律用紅色，而且是銀朱紅色。坤寧宮的室內紅色更為鮮明，朱紅壁板上的「囍」字用瀝粉貼金。可見紫禁城建築色彩的運用受五行學說的影響之深。此外，在建築上能夠使用朱紅顏色的就只有親王府邸和寺廟了。而平民建築的門柱多油黑色，只是在過年時貼紅對聯，結婚時用紅喜字、紅信箋、紅服飾而已。

紫禁城南門 —— 午門，不僅城台外牆、柱桓門窗為紅色，其彩畫也與眾不同。一般的彩畫，由於與下架油飾的赤紅暖色對比，在簷下多用青綠的冷色，而午門位於紫禁城的正南

午門「吉祥草三寶珠」彩畫

大清門外景（清末時拍攝）

方，從五行方位上屬於火，所以午門用以赤色為主「吉祥草三寶珠」的彩畫。根據正北方向，相應五行中屬水的說法，而把紫禁城中最北面的建築裝飾，即欽安殿後面正中的鈎欄板雕為波濤水紋，其他仍為穿花跑龍。

其次，五行中的黃色處於中央戊己土的部位，而五行中的土為萬物之本，金黃顏色象徵富貴，所以帝后的服飾也多用金黃色。清代以「黃馬褂」賜給功臣，作為最高嘉獎；絕大多數宮殿的瓦頂以黃色釉瓦葺之，也是這個道理。

鼓樓、鐘樓側景

大清門（1901 年，H.C. 懷特攝）

正陽門外景

紫禁城主要建築

城池

紫禁城，是明、清兩代京城皇城內的宮殿，平面呈長方形，南北長 961 米，東西寬 753 米，周圍廣袤 3 428 米，佔地面積達 723 600 多平方米。

紫禁城的城池，包括城垣、城門樓、角樓、護城河和一些守衛房舍，防衛設施嚴密、牢固。

從紫禁城城牆望景山

紫禁城的城垣，高 7.9 米，底面寬 8.62 米，頂面寬 6.66 米，上下有明顯的收分。頂部外側築有雉堞，是古代城防的垛口。內側疊砌宇牆，牆下每隔 20 米左右留一個返溝道嘴，以泄雨水。紫禁城的城垣，採用了外包砌城磚，牆心夯土墊實的做法，但又與普通城牆的外皮逐層縮磴不同。它的外皮先用三進城磚作擋土牆，而面磚則乾擺灌漿，磨磚對縫，顯得平整光滑，精細堅實。每塊城垣的面磚，長 48 釐米，寬 24 釐米，高 12 釐米，重達 48 斤，共用磚約為 1200 多萬塊，用的是山東臨清窯的澄漿磚，質地堅硬。明代嘉靖年間，每塊澄漿磚的價錢是白銀二分四釐，從山東運到京城還得多加四釐運費，故城垣所耗費，僅面磚一項就需要白銀三百萬兩。另外，每工每日只能磨磚 20 塊，擺砌的速度也慢，這 1200 多萬塊城垣面磚比普通城磚的砌築多費二十多萬個工日。

紫禁城的四面有四座城門，上建城門樓閣。南為午門，北為神武門，

1900 年時紫禁城外觀

東為東華門，西為西華門。每座城門樓下的墩台，都用白灰、糯米和白礬等做膠結材料，十分堅固耐久。墩台的中間，用磚砌出券門。墩台的兩側，各有磋磜路面的馬道，轉折而上，通達城垣的頂面。

清代進出紫禁城的腰牌

腰牌是古代官員日常所配的身份符信，相當於今天的通行證。清宮腰牌多為木質，大小尺寸各異，正面燙有「腰牌」字樣，由內務府製作。晚清還有了鐵質腰牌，上貼有紙，書寫使用者的姓名、相貌、年齡等。隨着照相技術的引進，出現了貼有使用者照片的腰牌，可基本防止冒名頂替的可能。

從景山南望紫禁城宮殿

午門

　　四座城樓中最壯觀的是午門，午門的門樓建成於明永樂十八年（1420），重修於清順治四年（1647）和嘉慶六年（1801）。午門的墩台，平面成整齊的「凹」字形，台高 12 米。台下正中有三個券門，台的兩翼有掖門，所以人們稱午門的門洞是「明三暗五」。

　　正中的門樓，面闊九間（長 60.05 米），進深五間（寬 25 米），在建築佈局中達到了古代殿堂中「九五之尊」的最高等級。上覆重簷廡殿頂，自城台地面到脊吻，高達 37.95 米，是紫禁城內最高的建築。城台上兩側，各設廊廡十三間，門樓兩翼向南排開，俗稱雁翅樓。在雁翅樓的兩端，各設有一座重簷攢尖頂的闕亭。整個城台上的建築，三面環抱、五峰突出、高低錯落、主次相輔、氣勢雄偉，有「五鳳樓」之稱。

　　午門共有五個門洞，當中的正門，只有皇帝祀祭壇廟或親征時才能出入。皇后在成婚入宮時可以走一次，再是殿試的時候，宣佈中了狀元、榜眼、探花的三人出來時可走一次。宗室王公、文武官員只能走兩側門，文武百官從左門出入，皇室王公

南望午門城樓（午門城樓背面）

從右門出入。東西兩拐角處左右矩形洞，平時不開，只有在大朝的日子，文東武西，分別由掖門出入。再是殿試文武進士，按會試考中的名次，單數走左掖門，雙數走右掖門。另外，明朝廷杖大臣即在午門前的御路東側執行。

午門外景

午門正面

雁翅樓

午門左右城牆向前伸出成凹形，它是以一座重簷九間的正樓和東西各兩座闕亭相連而成，形如雁翅，俗稱「雁翅樓」。

◎《康熙南巡圖》

午門前有一個很大的廣場，每遇皇帝頒朔（每年十月初一頒發第二年的曆書）、宣旨及百官常朝，都聚集於此。

國家征討、凱旋還朝進獻戰俘時，皇帝還親臨午門受獻俘禮，並規定每月初五、十五、二十五日是常朝的日子。是日，如果皇帝御殿，羣臣在太和殿前行禮、奏事。如果皇帝不御殿或不在京，王公大臣到太和門外，王公以下的官員只在午門前御路兩旁分東西班坐班，如果沒有大事，糾儀官查過班後，王公等從午門出來，大家即可散去。

康熙在位的六十一年間，曾六次巡視江南。王翬等人繪製的《康熙南巡圖》是對第二次南巡的記錄。康熙二十八年（1689）正月初八起程離京，二月初九日到達浙江杭州，三月初九日回到北京。《康熙南巡圖》共十二卷，第十二卷是描繪康熙南巡歸

來，鑾駕進宮時的盛況。

　　此處節選的是午門至天安門一段畫面，在午門之外至端門內，整齊地排列着四列隊伍，前面兩列是鹵簿，後面兩列是在京的各部院王公大臣，在等候康熙的歸來。端門外至天安門外，康熙已在護軍的護衛下騎馬而來。

王翬（1632—1717）

明末清初畫家，與王鑑、王時敏、王原祁合稱「四王」，康熙三十年（1691）奉詔繪製《康熙南巡圖》，歷時三年完成。

《康熙南巡圖》第十二卷局部

神武門、東華門、西華門

神武門是紫禁城的北門。明永樂十八年（1420）建成的時候，名曰玄武門。到了清代，為了避康熙皇帝玄燁「名諱」，而改名為神武門。清代每逢大選秀女，都在神武門內進行。門樓五楹，重簷廡殿頂，內陳鐘鼓，與鐘樓和鼓樓相應，用以起更報時。

黃昏後鐘樓鳴鐘一百零八聲，而後起更，起更敲鼓，打鐘擊鼓至次日拂曉復鳴鐘，每日欽天監派員上神武門門樓上指示更點。

紫禁城東西兩側，分別是東華門和西華門，門外置下馬碑。東華門平時是朝臣及內閣官員進出宮城的地方，除了皇帝的殯宮、神牌經此門出入外，皇帝一般不使用它。皇帝和后妃由京西苑囿還宮，走的是西華門。

神武門外望景山（1900 年攝）

東華門城牆

神武門正面

下馬碑

東、西華門都立有這樣的下馬碑,是高約4米、寬約1米的石碑。碑身正背面鐫刻滿、蒙、漢、回、藏五種文字,漢字是「至此下馬」。另午門的左、右闕門外也各有一座下馬碑,碑身正面鐫刻漢、滿、藏三種文字,漢字是「官員人等至此下馬」八個楷體字。到達下馬碑前,文官下轎,武官下馬,不得逾越,然後畢恭畢敬地步入。這種規定是皇宮門衛森嚴、皇權至上的一種標誌。

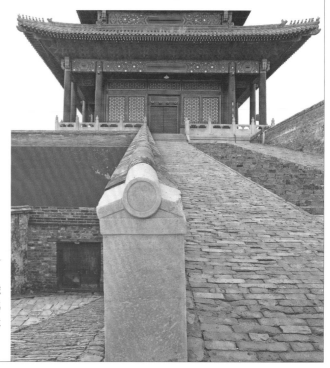

神武門慢道(俗稱馬道)

神武門內墩台的兩側有通道,由地面轉折而上,是通向城樓和城垣頂面的交通要道。紫禁城的城垣、城樓、角樓都是防禦性的建築物,為了車馬護軍通行方便,通道不用階梯式踏跺,而是將大城磚砌築成斜面鋸齒形磋礓式坡道路面。

角樓

　　紫禁城城垣上四隅，各矗立一座角樓。在古代城堡中，角樓是供登臨瞭望的防衛性建築，但明清時期紫禁城上的角樓裝飾意義比較大。角樓的中央是一個三開間的方形亭樓，四出抱廈，順城垣方向的兩面要比城垣轉角盡端的兩面伸長一些，這樣既富於平面佈置的變化，又同城垣的地位相協調。從立面造型來看，角樓模仿的是宋畫中的黃鶴樓和滕王閣。

　　角樓平面呈曲尺形，屋頂是三重簷（三滴水式）。上層簷由四角攢尖頂和歇山式頂組成，四面亮山，正脊縱橫交叉，中間安銅鍍金寶頂。中層簷是採用抱廈和亮山相互勾連的歇山頂。下層簷採用半坡頂的腰簷，多角相連的屋頂。角樓屋頂用七十二條脊相銜接，縱橫連貫，多角交錯，造

角樓正面

扶脊木上皮
0.34
脊桁上皮
0.64
脊枋下皮
0.50
順樑下皮
0.24
金桁上皮
0.68
正心桁上皮
0.64
挑簷桁下皮
0.16
扒樑下皮
0.33
後尾壓科枋下皮
0.41
平板枋上皮
0.78

扶脊木上皮
0.63
脊桁上皮
脊枋下皮　　　　大額枋下皮
0.94　　　　　　0.80
金桁上皮　　　　檁枋下皮
0.57　　　　　　0.55
正心桁上皮　　　承椽枋下皮
0.57　　　　　　0.69
挑簷桁下皮　　　天花板上皮
0.73　　　　　　0.26
平板枋上皮　　　平板枋上皮
1.00　　　　　　0.88
正心桁上皮　　　大額枋下皮
0.55　　　　　　0.74
挑簷桁下皮　　　　　1.00
0.70
平板枋上皮　　　平板枋上皮
0.68　　　　　　0.68
大額枋下皮　　　大額枋下皮

3.51　　　　　　1.51

台基地面
1.22

型複雜而美觀，而且建築在沉實、簡
單、長且平的城牆上，外觀顯得上浮
下緊，顏色則下素上彩，這種對比的
配置更增加了角樓的氣勢，是中國古
代建築藝術的傑作。

從左至右：
宋畫《黃鶴樓圖》
宋畫《滕王閣圖》

角樓縱剖面圖

單位：米

角樓細部圖

單位：米

角樓本層平面圖

單位：米

角樓局部

角樓是屹立在紫禁城城垣四隅上的特有建築，坐落於須彌座上，周邊繞以石欄，結構精巧，在最頂部十字脊鍍金寶頂以下有三層簷，七十二條脊，上下重疊，縱橫交錯，造型玲瓏。

外望角樓

護城河

紫禁城城垣的外圍有一條 52 米寬的護城河，深達 6 米，陡直的駁岸都用條石疊砌，因此俗稱為筒子河。高大的城垣、寬深的護城河是紫禁城衛護的重要設施，紫禁城背後的景山，也成為紫禁城的屏障。明、清兩代紫禁城的四門都有重兵拱衛，晝夜把守。在護城河內側和城垣外牆之間，建立守衛系統。明代，在紫禁城四周砌築看守紅鋪四十座。紫禁城不僅在城外有巡更制度，在宮內也劃分幾個大的區域進行搖鈴或傳籌巡更。清代，在東、西、北

護城河

三面的護城河內側，還建有守衛圍房
七百三十二間，警衛森嚴，一般人無法
接近。

外望護城河

外朝

外朝,是明清兩代皇帝辦理政務、舉行朝會的場所。以坐落在紫禁城中軸線上的三大殿和左輔右弼的文華、武英殿為主體,再包括沿城牆南垣的辦事機構內閣以及檔案庫、鑾儀衛等大庫。

三大殿,是太和殿、中和殿和保和殿的合稱,它們佔據了紫禁城中最主要的空間,面積達 85 000 平方米,在建築設計和藝術構思上,以其宏偉的規模、威嚴的氣勢、富華的裝修和神秘的色彩,成為紫禁城中最突出的建築羣。

清世祖福臨畫像

三大殿又稱前三殿,是外朝的中心區域。三大殿的平面組合,各以太和殿和保和殿為主,運用傳統一正兩廂合為一院的組合原則,圍成兩個封閉的庭院,各有其獨特之處。但由於保和殿和太和殿同立於一個崇高廣大的「工」字形石陛上,兩殿各在一端,在「工」字之中加上較小的中和殿,使三大殿凝成一體,使人在感覺上不似在四合庭院之內。

三大殿的造型藝術也是非常講究的。一首一尾的太和、保和二殿都是矩形平面,而中間佈置一個較矮小的方亭 —— 中和殿,成馬鞍形,在平面上調劑兩個矩形平面的呆板;同時在重簷廡殿和重簷歇山兩殿間出現單簷四角攢尖的鎏金寶頂,使三大殿造型不同,高度有別;兼且高低錯落的曲線,在立面上收到豐富多姿的效果。

三大殿這一組建築羣的左右,又建有文華殿和武英殿。這兩座大殿都是「工」字形的平面,單簷歇山頂,拱衛着三大殿。文華殿是皇帝舉行經筵的宮殿。舉行經筵前一天,皇帝到文華殿東的傳心殿向孔子牌位祭告。經筵當天,再從乾清宮乘輿入文華殿升寶座,聽講官進講。

前朝三大殿全景

三大殿位置圖

武英殿外景

文華殿外景

　　武英殿在明代是皇帝齋居和召見大臣的宮殿。明末農民起義領袖李自成進入北京後，在這裏辦理政務。清代乾隆年間，這裏成為宮廷修書、印書的地方。所印的書，稱為殿本書。

　　武英殿之南，有三間歇山頂的小殿，即南薰殿，是存放歷代帝王像的地方。這座小殿不僅有明代的木構架與天花藻井，而且保留了明代的彩畫，是建築史上很有價值的實物資料。

三大殿總橫剖面圖
單位：米

太和殿　　　　　　　　中和殿　　　　　　　　保和殿

太和門

　　三大殿的前引，是太和門。它面闊九間，進深四間，是紫禁城中最雄偉高大的一座宮門。每當皇帝出紫禁城午門，也先由宮裏乘輿到此，而後改乘鑾輦出城。清朝入關後的第一個皇帝於順治元年（1644）九月進入紫禁城不久，在這裏頒佈了大赦令。

　　太和門的左右有昭德、貞度二門，同東西兩翼的協和、熙和二門及南面的午門用連排的廊房相互聯繫，圍成一個 26 000 平方米的廣場。廣場上清澈的金水河自西蜿蜒而東，上架五樑虹橋，橋側與河畔砌有潔白的漢白玉欄杆。

　　明朝規定，文武官員每天拂曉到奉天門早朝，皇帝也親自來受朝拜和處理政事，叫「御門聽政」。景泰年間，還規定有午朝，在奉天門東廊的左順門（今協和門）舉行，門南即內閣辦事的公署。左順門對面的右順門，明代也是百官奏事之所。清初，

太和門正面

皇帝也曾在太和門受朝、賜宴,但「御門聽政」則移至乾清門。在清代,太和門東廡為稽察欽奉上諭事件處、內閣誥敕房和內閣辦事地方;西廡為翻書房、起居注館和膳房庫。

黃昏時分的太和門

太和門廣場及內金水橋

午門內,在規制嚴整的庭院中,一條玉帶形的內金水河從西向東流過,跨過雕欄玉砌的內金水橋,迎面便是雄偉的太和門。太和門明初稱奉天門,後稱皇極門,清初才稱太和門。現所見的太和門是清光緒年間重建的,全高 23.8 米,是紫禁城內最大、最高、裝飾最華麗的門。

三大殿前後起伏,變化有致,又有太和門作引導,同時在院落空間的建築組合設計上,也頗具匠心。三大殿的四周,都用門廡環繞,四角是重簷歇山頂的崇樓,殿前有體仁閣、弘義閣,左右陪襯,對稱齊整。

太和殿前是一個宏大的廣場。遇到朝典,皇帝升殿,其餘的人只能候立在太和殿外。丹陛上跪伏的是親王,丹墀(音池)下沿御路兩旁的十八對刻有官階的品級山後,是文武官員列隊跪拜行禮的地方。稱作「鹵簿」的儀仗隊伍,則從太和殿前向南,往太和門、午門、端門,一直排列到天安門外。

太和門明樑及天花

紫禁城內陳設銅獅子

紫禁城內陳設銅獅子，不僅顯耀宮廷的豪華，而且用以顯示帝王的「尊貴」和「威嚴」。這些銅獅分散在六處，每處都是一對。這六處是太和門前、乾清門前、養心門前、長春宮前、寧壽門前和養性門前。六對銅獅子以太和門前的一對最大，但沒有鎏金，其餘五對都是鎏金的。銅獅造型生動，栩栩如生。

《皇帝法駕鹵簿圖》局部

鹵簿，是皇帝天子的儀仗隊。其制度累代相沿，每有增補，以唐、宋時期最盛。宋神宗時，皇帝的大駕鹵簿，用人多至 22 200 多名。清朝鹵簿，承襲明制，雖有所削減，但康熙時也約用 3 000 多人。清朝前期，鹵簿制度有所變動，至乾隆初年才規定下來。據《大清會典》規定，皇帝的儀仗稱鹵簿，皇后、皇太后的稱儀駕，皇貴妃、貴妃的稱儀仗，妃嬪的稱樂仗。

皇帝鹵簿有四種，一是大駕鹵簿，規格最高，其次是法駕鹵簿、鑾駕鹵簿和騎駕鹵簿，各有不同用途。

朝會是清代宮廷中一項最為隆重的典禮活動。在舉行朝會儀式的清晨，由鑾儀衛把法架鹵簿陳列太和殿前。法駕鹵簿由五百多件金銀器，木製的斧、鉞、爪、戟等武器以及傘、蓋、騎、蠹等組成，排列起來非常壯觀。

此圖為嘉慶時宮廷畫家所作，為長卷畫，所陳列鹵簿從天安門起，經端門、午門直達太和殿前。這是其中午門至太和門的一段。

台基

三大殿依次修建在同一個高達 8.13 米的台基上。台基上下重疊三層，俗稱「三台」。每層都為須彌座形式，上有漢白玉欄杆。每根望柱頭上都雕有精美的雲龍和雲鳳紋飾。每根望柱下的地栿外側，伸出一個叫「螭首」的獸頭。一到雨天，三台上的雨水從數以千計的螭口內噴出，層層疊落，形成千龍噴水的奇景。

三台平面呈「干」字形，面積達 25 000 平方米。前後階陛中間設有雕刻龍雲路石，其中以保和殿後的御路石最長，它用一整塊長 16.57 米、寬 3.07 米、厚約 1.7 米的青石雕刻而成，重達 250 多噸。

三大殿台基俯視圖

銅龜
香爐
嘉量
銅鶴
日晷
螭首

太和殿台基及雕鑄品位置示意

在三台南部，太和殿前的丹墀上，陳設了許多雕鑄品。太和殿前丹陛上陳列有象徵江山永固和一統的銅龜、銅鶴、日晷和嘉量。其中，日晷是古代的計時器，以帶刻度的圓石盤上的銅針的陰影來指示時辰；嘉量裏存放着古代容積的綜合標準量器——斛、斗、升、合、龠；銅鑄的龜和鶴，在古代被認為是祥瑞的動物，象徵江山永固和太平，並稱頌皇帝萬壽無疆。在龜和鶴的腹內還可以燃香，煙從口吐出，構造巧妙精細。

太和殿丹陛上吐煙銅龜

銅龜和銅鶴的背項有活蓋，腹中空，與嘴相通，太和殿舉行盛大典禮時，於銅龜和銅鶴腹內燃點上松香、沉香、松柏枝等香料，青煙自銅龜和銅鶴口中裊裊吐出。另置大銅爐香煙繚繞，增加了神秘和莊嚴的氣氛。

太和殿丹陛上銅鶴

嘉量

銅製鎏金，方形，放在白石亭之中。這是乾隆九年仿照唐代嘉製的象徵性量器。中間有大斗，兩旁有小耳，可以上下使用，斛、升、合三個量具在上面，斗、龠兩個量具在下面。經實測，斗的容積為 2.82 升。

日晷

石座上斜放圓盤，盤上刻出時辰，中間立銅針，和盤面垂直。利用太陽的投影與地球自轉的原理，看出陰影指出的時辰。

香爐

前三殿 · 太和殿

太和殿是明、清兩代皇帝舉行朝政大典的主要活動中心，明初稱奉天殿，嘉靖年間改稱皇極殿，清初又改名太和殿。皇帝登基、萬壽、大婚、冊立皇后，都在這裏行禮慶賀，所以在建築設計上用重點突出的手法，極力表現其莊嚴高貴，這在中國古代建築中是與長陵祾恩殿（明長陵，是十三陵中的首陵，也是其中規模最大、保存最完整的）規模相似，無獨有偶的最大的木構建築。太和殿是紫禁城內最大的殿堂，也是中國木結構古建築中規格體制等級最高的建築。

太和殿面闊九間，外加側廊計十一間，其柱中的通面寬 60.01 米，進深五間，達 33.33 米，建築面積（按台基算）約 2377 平方米，全高 35.05 米，是中國古建築中開間最多、進深最大、屋頂最高的一座宮殿，比正陽門還要高出 1 米多。

殿的立面採用了重簷廡殿頂。殿的斗拱為單翹三昂，也是中國木構建築中出現最多的。屋面上的走獸數，一般最多的為九個，這裏又增加了一個「行什」，成為中國簷角走獸最多的孤例。

太和殿匾額

太和殿橫剖面圖

單位：米

太和殿縱剖面圖

單位：米

太和殿平時是不使用的，明、清兩朝每年元旦、冬至和皇帝生日三大特殊日子，皇帝均在這裏接受文武百官朝賀並賜宴等。

就明朝的元旦朝賀大典來說，場面很大。當日天亮以前，錦衣衛、教坊司、禮儀司、欽天監的有關人員、糾儀御史、鳴贊官（司儀）、傳制官及宣表官等要事先進入崗位。大約在日出前三刻時捶一鼓，文武百官在午門外排班站好等候。捶二鼓，由禮部導引入太和殿廣場內東西部，面北而立。這時，皇帝穿禮服乘輿出宮，午門鳴鼓，先到華蓋殿升座。捶三鼓後，中和韶樂奏《聖安之曲》，皇帝升奉天殿寶座，樂止。然後陛下三鳴鞭（用絲製的長有數丈的大鞭，抖起來啪啪作響），文武百官按正、從九品分十八班站好，各有木牌作標誌（清代改用銅鑄品級山）。接着丹陛大樂奏《萬歲樂》，文武百官行四拜禮，大樂止。接下去便是例行公事的進表、宣表、致詞，最後是搢笏（把手裏拿的笏板插在腰裏）鞠躬，三舞蹈，跪，在場

太和殿廣場上的儀仗墩

軍校等各方面人員一起山呼萬歲、萬歲、萬萬歲！然後百官起立，出笏。再俯伏，丹陛大樂奏《朝天子》，百官四拜，大樂止。中和韶樂奏《安定之曲》，皇帝降回華蓋殿，典禮完畢。

位於太和門和太和殿之間的是太和殿廣場，面積 3 萬多平方米，是紫禁城內最大的廣場。一條以巨石板鋪

塈的甬道位於中間，疏朗的廣場裏，除中間甬道兩側嵌入地面的「儀仗墩」以外，別無其他點綴。由於素平的「海墁」磚地與周圍相對較低矮的門廡襯托，更顯得廣場廣闊，中央的太和殿更突出。置身其間，真有一種「天高地寬」的感覺。

清代於太和殿舉行重要典禮時，

殿前御路兩旁各擺設銅鑄的品級山作為文武百官行禮時應站位置的標誌，不得逾越。儀仗墩砌於廣場前塈磚地上，左右各一列，是太和殿舉行大典時儀仗隊按墩站班的標誌。

品級山

清代文武官員朝班位次之標識，以金屬鑄之，狀如山形。高約 30 釐米，中空，底面呈扁圓形，長約 39 釐米，短徑約 24 釐米，上嵌滿漢字品級階位。每舉行典禮之時，擺列太和殿前丹墀內御路兩旁，東西各兩行，每行自正、從一品至正、從九品，各十八座，總共七十二座。

太和殿前的銅鑄品級山

弘義閣黃昏

　　太和殿的裝修採用金扉、金瑣窗。殿的正中是鏤空透雕的金漆基台與寶座。正對寶座上方是雕着口銜寶珠的蟠龍藻井，其餘全是金龍圖案的井口天花。寶座後面有屏風和翬翟（后妃的禮服），寶座兩側有六根盤龍大金柱，金碧輝煌，光彩奪目。

　　殿內面積 2370 多平方米。外樑、楣是貼金雙龍和璽彩畫，寶座上方是金漆蟠龍吊珠藻井，靠近寶座的六根瀝粉蟠龍金柱直抵殿頂，上下左右連成一片，金光燦燦，極盡奢華。

太和殿平面圖
單位: 米

太和殿寶座台基一角

太和殿寶座前香爐

太和殿內景局部

太和殿內四個龍櫃之一

太和殿內的鏤空金漆寶座及屏風設在有七層台階的高台上。寶座上設雕龍髹金大椅，是皇帝的御座。椅後設雕龍髹金屏風，左右有香几、香筒、甪端等陳設。寶座前面在階陛的左右還有四個香几，香几上有三足香爐。當皇帝升殿時，爐內焚起檀香，香筒內插藏香，於是金鑾殿裏香煙繚繞，顯得更加肅穆。殿內原有乾隆所題匾額「建極綏猷」以及左右聯，1915 年

太和殿寶座靠背

袁世凱稱帝時拆掉。前三朝和後三宮各大殿上的寶座，都是坐落在北京城的中軸線上的。

寶座椅背兩柱的蟠龍十分生動，特別是組成背圈的三條龍，完全服從背圈的用途，又不影響龍蜿蜒擎空的姿勢。椅背採用圈椅的基本做法，座下不採用椅腿、椅撐，而採用「須彌座」形式，這樣就兼顧了龍形的飛舞和座位堅實穩重的風格。

太和殿寶座龍椅扶手

太和殿寶座底座

太和殿寶座靠背上的龍首

太和殿寶座

◎《光緒帝大婚圖》

《光緒帝大婚圖》局部

光緒帝（載湉）於光緒十五年（1889）與副都統桂祥之女葉赫那拉氏結婚。結婚之前一年，慈禧太后即命籌辦大婚典禮諸事，命內務府員外郎慶寬把結婚典禮的儀式按次第製成圖冊，呈上審閱。這本畫冊 ——《光緒帝大婚圖》，即按清廷皇帝結婚的儀式，將鳳輿及儀仗隊所經過的地方，一段一段地畫出。此段是經過太和門時的情況。這些畫雖未注明作者，但都是出自當時宮廷畫家之手。在清朝入關後的十個皇帝中，末代皇帝宣統在清亡時尚不滿六歲，不能成婚立后。而婚後即位的有雍正、

乾隆、嘉慶、道光和咸豐五個皇帝。在紫禁城內舉行大婚禮冊立皇后的，只有幼年即位的順治、康熙、同治和光緒四個皇帝。太后和近支王公大臣通過議婚選定皇后，然後再行納采禮、大徵禮、冊立、奉迎禮、合卺禮、慶賀禮和賜宴禮等名目眾多的繁縟禮儀。皇帝大婚中最隆重的儀式是冊立、奉迎禮。這一天，宮內一片喜氣洋洋，各處御道上都是毛氈鋪地，門神、對聯等也煥然一新。午門以內的各宮門、殿內都是紅燈高照，太和門、太和殿、乾清宮、坤寧宮都懸掛了「囍」字彩綢。

前三殿・中和殿

　　中和殿位於太和殿後，是皇帝親臨太和殿大典前暫坐之處，在此翻閱表具奏書，接受內閣、內務府、禮部和侍衛等執事人員的跪拜行禮。它的四面均為五間，呈正方形，單簷攢尖頂，上具鎏金寶頂，建築輪廓甚為奇特。

　　中和殿明初稱華蓋殿，嘉靖年間稱中極殿，清初稱中和殿。殿呈正方形，在大典中它是為太和殿的正式活動做準備的地方。明、清兩朝皇帝每

中和殿內肩輿

年春季祭先農壇、行親耕禮，在祭祀和親耕之前，要在中和殿閱視祭祀用的寫有祭文的祝版和親耕時用的農具。祭祀地壇、太廟、社稷壇的祝版也在這裏閱視。另在給皇太后上徽號時，皇帝要在此閱奏書。清朝規定每十年纂修一次皇室的譜系 —— 玉牒，每次修好，進呈給皇帝審閱時有比較隆重的儀式，也在中和殿舉行。有的皇帝有時也在此做個別召見或賜食。

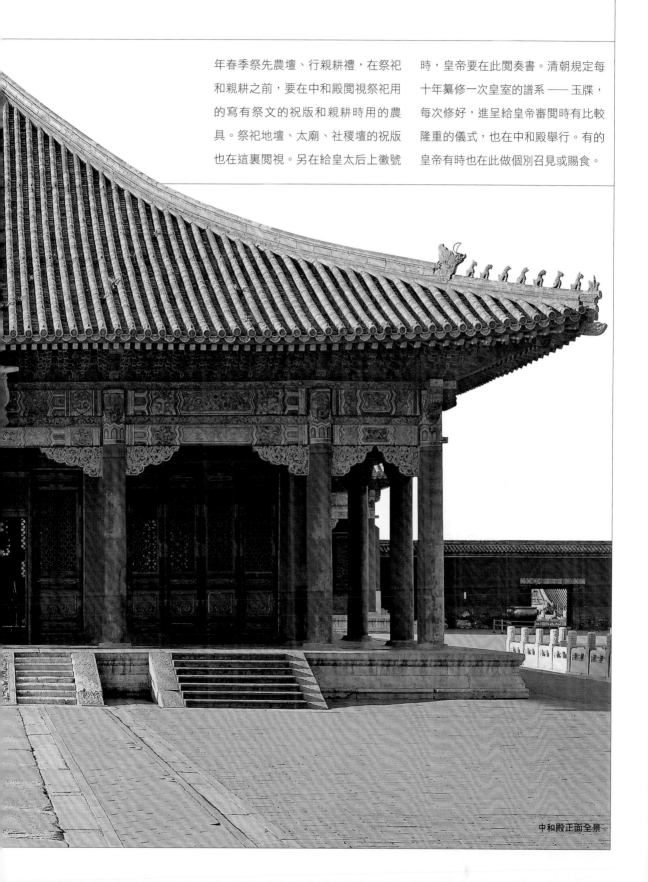

中和殿正面全景

前三殿・保和殿

三大殿最後面的一座，明初稱謹身殿，嘉靖年間改稱建極殿，清初改稱保和殿。清代諸帝常在這裏舉行宴會，宴請王公大臣。乾隆五十四年（1789）後，科舉考試的殿試也改在保和殿舉行。

在建築設計上，保和殿延續了宋、元建築的「減柱造」法式，省去寶座前的六根金柱，爭得較為開闊的空間。屋頂為重簷歇山。殿內裝修、陳設偏重丹紅色，呈現一派榮華富貴的氣度。

在保和殿後、乾清門前的道路，也叫橫街。東西長，南北窄。廣場東端的景運門和西端的隆宗門，是進入內廷的第一道禁門。清朝規定，除去值班大臣或皇帝召見的人以外，即使是王公大臣也不許私自出入內廷。而王公大臣獲召進入內廷，其侍從人員也不得跟隨，只能在這兩個門外台階下二十步以外站立，可謂戒備森嚴。

保和殿外景

保和殿內寶座

內廷

紫禁城的後半部是封建帝王及其家屬居住的地方,稱為後寢。其中宮殿、園林、樓、台、亭、閣櫛比相連,佈局緊湊。每座庭院除有院牆、門廡環繞外,又用高大的宮牆圍成更森嚴的內部禁區,所以通稱內廷。

內廷大致可分帝、后的寢宮 —— 后三宮,后妃宮室 —— 東、西六宮,清雍正以後的皇帝寢宮 —— 養心殿,太上皇宮殿 —— 寧壽宮,太后太妃宮殿,太子宮室等六組宮殿區。

乾清門廣場

內廷的主要建築是乾清宮和坤寧宮。因為這兩座建築是帝、后的寢宮,所以建在紫禁城的中軸線上,與外朝的三大殿並稱為「三殿兩宮」,構成紫禁城的核心。所謂「兩宮」,指的就是內廷的乾清宮和坤寧宮。約於明代嘉靖年間,在兩宮之間又增加建了方形、單簷、四角攢尖的交泰殿,於是後來又有「後三宮」之稱。

乾清門,是內廷的正門,清朝,這裏是「御門聽政」的地方。御門聽政一般從上午八九點鐘開始。聽政時,皇帝坐在臨時安設在中間的寶座上,起居注官立於西側,面向東,翰林、科道官(類似負責監察的官)立於階下西側,內閣事先傳知的各部、院等奏事的官員跪在東側,面向內。一般例行之事,由一名尚書跪奉奏疏放於黃案上,退回原位,跪奏某事,奏畢,由東階下,以下各官再依次進奏。機要之事,翰

後三宮側照

後三宮位置圖

從保和殿後北望乾清門

後三宮

從左到右，依次為乾清宮、交泰殿、坤寧宮。後三宮的建築規格和體制比前朝三大殿略小一些，按傳統說法：乾清宮的「乾」代表天，坤寧宮的「坤」代表地，「乾清」「坤寧」表達了歷代帝皇的美好願望。所以，這兩個名稱從南京到北京，從明初到清末，一直沿用不改。

林、科道官及侍衛皆退場，大學士、學士升階跪，由滿族內閣學士奉摺本跪奏，每奏一事，皇帝即降旨，大學士、學士承旨。御門聽政最勤的是康熙皇帝，在位時有很多大事都是在御門聽政時決定的。咸豐朝以後就沒有再舉行。

後三宮・乾清宮

　　乾清宮在明代和清初是皇帝居住的地方，這是一座九開間的重簷大殿，自明代永樂十九年（1421）建成後，歷經明代弘治、正德、嘉靖、萬曆以及清代順治、嘉慶等朝的重建和翻修。現在乾清宮的建築構件大多是清代嘉慶二年（1797）重建後的遺物，佈局仍是明初初建時的原狀。這一區建築，周圍有四十間門廡環繞，東廡有端凝殿，是收藏皇帝冠袍帶履之所。西廡的懋勤殿，是皇帝讀書和閱批本章的地方。南廡東端有翰林值班解答皇帝諮詢的地方 —— 上書房，西端有皇子讀書的地方 —— 南書房。

　　北端的門中還有壽藥房、總管太

乾清宮

明朝皇帝的寢宮。皇后也在此居住，其他妃嬪可以按照皇帝的召喚依次進御。後來皇帝有時也在此見臣工。明代著名的「紅丸案」和「移宮案」都發生在此處。

乾清宮前的江山社稷方亭

監值班房、庫房等。清朝入關以後，把乾清宮加以重修，還是做皇帝的寢宮，但是在使用上有了很多改變。順治、康熙年間，皇帝臨朝聽政、召對臣工、引見庶僚、接見外國使臣以

及讀書學習、披閱奏章等都在這裏。雍正皇帝將寢宮移至養心殿以後，這裏主要就成為內廷典禮活動、引見官員、接見外國使臣的地方了。

乾清宮前的日晷

乾清宮前的香爐

清代皇帝每逢元旦、元宵、端午、中秋、重陽、冬至、除夕、萬壽等節日，都會在乾清宮內舉行內朝禮和賜宴。

另外，在乾清宮還舉行過兩次特殊的大宴，就是康熙六十一年（1722）和乾隆五十年（1785）的兩次千叟宴。皇帝命年在六十歲以上的人參加。乾隆五十年的那次有三千人參加。其中大臣、官吏、軍士、民人、匠藝等各種人都有，每人還賜予拐杖等各種物品。

皇帝確定繼位人的方式，從前大都是先立太子（一般是皇帝的嫡長子），在皇帝死後繼承帝位，也有的是在臨死前指定繼位人。但清代雍正皇帝鑑於這樣做的弊病，就改變了方式，即事先秘密書寫皇位繼承人的姓

乾清宮內寶座

名兩份，一份帶在身邊，一份封在建儲匣內，放到乾清宮「正大光明」匾的後面。皇帝死後由顧命大臣共同打開身邊密藏的一份和建儲匣，會同廷臣一同驗看所書皇子的名字，若一致則宣佈由這個皇子即皇位。不過到清朝後期，咸豐、同治、光緒三朝，由於只有一個兒子或無子而沒有採用這個方法。

乾清宮還是皇帝死後停靈的地方。不論皇帝死在哪裏都要先送到乾清宮來。如清順治皇帝病死在養心殿，康熙皇帝病死在暢春園，雍正皇帝病死在圓明園，都是在乾清宮停靈，按照儀式祭奠以後，再停到景山的壽皇殿或觀德殿等處，最後選定時間正式出殯，葬入皇陵。

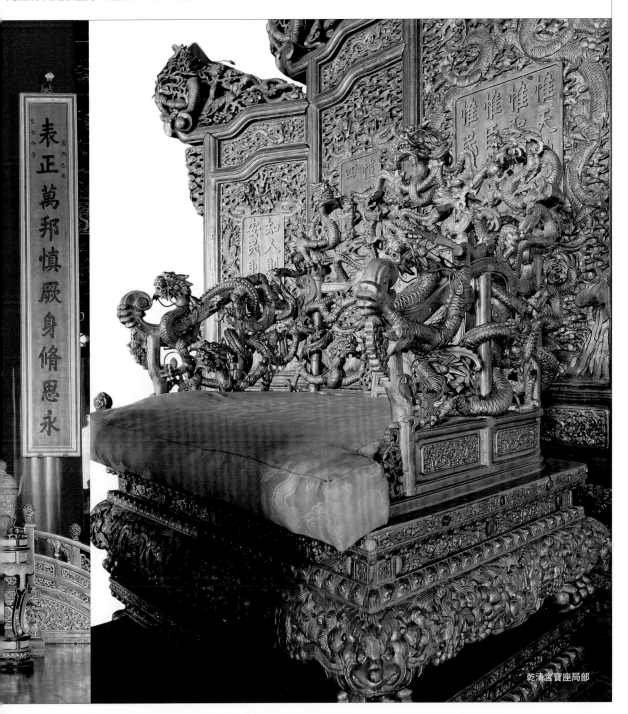

乾清宮寶座局部

後三宮・交泰殿

　　交泰殿，始建於明代。到了清朝，是皇后在三大節等日子裏受朝賀的地方。朝賀時，皇貴妃、貴妃、妃、嬪、公主、福晉（親王、郡王、世子、貝勒之妻）、命婦（有封誥的二品以上大臣之妻）等都要在這裏行六肅三跪三叩禮，然後再由皇子行禮。

　　乾隆及以後，這裏還一直是存放「二十五寶」的地方。二十五寶是乾隆皇帝規定的皇帝行使各方面權力的寶璽。其中「大清受命之寶」、「皇帝奉天之寶」、「大清嗣皇帝之寶」、滿文的「皇帝之寶」四顆，是在清朝入關以前用過的，其他都是乾隆皇帝按不同用途製作的。

交泰殿外景

二十五寶中，常用的有指示臣僚的「製誥之寶」，發佈政令的「敕命之寶」，頒發賞賜的「皇帝行寶」等。這些寶璽由內閣掌握，由宮殿監的監正管理。用的時候由內閣請示皇帝，經許可才能使用。

陳放在殿內東側的是中國古代的計時器。乾隆以後不再使用，而改用大自鳴鐘做計時器。

交泰殿內銅壺滴漏

交泰殿內寶座

後三宮・坤寧宮

坤寧宮的規模略小於乾清宮，但體制相同，也是重簷大殿，與乾清宮、交泰殿同建在「工」字形的台基上。明清兩代，坤寧宮按規定是皇后的正宮，明代皇后確實居住在此，但清代皇后實際並不居此。順治十三年（1656），按滿族習俗，仿瀋陽清寧宮的形制，把坤寧宮改為薩滿教的祭祀場所。所祭的神包括釋迦牟尼、關雲長、蒙古神、畫像神等，多至十五六個。祭祀時要進糕、進酒、殺豬、唱誦神歌，並有三弦、琵琶、檮鼓、拍板等伴奏。平時每天宰豬四口，春秋大祭時宰三十九口。每年用七百多石紅黏穀做糕酒，而且就在宮內殺

坤寧宮側影

坤寧宮的構造不同於其他大型宮殿，其正門開在偏東一間，為雙扇木板門；且把明代菱花隔扇改為窗戶紙糊在外的吊搭窗。

豬、煮肉、做糕，就地吃肉。不過，坤寧宮東暖閣作為皇帝結婚的洞房，康熙、同治及光緒帝大婚時都在這裏住過。

坤寧宮內薩滿教祭祀場所

坤寧宮內明間和西部的南、西、北三面是環形大炕，這是清朝重修坤寧宮時按照東北滿族的習慣改建的，清宮在這裏祭神。每天有朝祭、夕祭，平時由司祝、司香、司俎等人祭祀，大祭的日子皇帝、皇后親自參加。

從坤寧宮望御花園

坤寧宮後面是坤寧門，門內周圍的廊廡是太醫值房、藥房和太監值房。出坤寧門就是御花園了，但在明朝初期，坤寧門不在這裏，而是在欽安殿的後面，即現在的順貞門，明嘉靖時才改在這裏。可見當時的御花園是和後三宮連在一起的，所以當時叫宮後苑。

　　坤寧宮內東暖閣，是皇帝大婚時的洞房。清代皇帝當中，康熙、同治、光緒，以及宣統在辛亥革命後大婚時，都以這裏做洞房。住過三夜之後，就遷居東西六宮中指定的一個宮中去。房中整堵牆均用紅漆髹成，懸「囍」字宮燈，出入是鎏金頁的大紅門上也有金色「囍」字。門房牆上一幅大對聯直落地面。從坤寧宮正門進入東暖閣以及洞房外東側通路，聳立着一座大紅地金色「囍」字木影壁，取帝后合卺「開門見喜」之意。

　　東暖閣靠北牆是龍鳳喜牀，牀上掛着五彩納紗百子幔，上繡「百子圖」。喜牀上鋪着厚實的紅緞龍鳳大炕褥。

坤寧宮內東暖閣

坤寧宮內洞房

坤寧宮內洞房之喜牀

東、西六宮

　　東、西六宮分佈在後三宮左右，是皇妃的宮室。它們是一些可稱作「標準單元」的庭院，每個庭院佔地約兩萬平方米，由舉行接見儀式的前殿、配殿和寢殿組成。各庭院之間有縱橫街巷聯繫：南北走向的一長街寬9米，二長街寬7米；東西走向的巷寬為4米。街的兩端設宮門和警衛值房。各個庭院除有自己的宮門外，還有東、西巷門，南、北街門，規劃整齊，井井有條。慈禧做太后時，為了擴大西六宮的長春宮和儲秀宮，把長

春門與儲秀門拆掉，改建成廳式的體和殿與體元殿，因此現在的這兩座宮院，已成為四進院的格局了。

東六宮位置圖　　　西六宮位置圖

清西太后慈禧像

慈禧（1835—1908），即孝欽顯皇后，葉赫那拉氏，咸豐帝的妃嬪，同治帝的生母。清朝晚期的實際統治者。

清瑾妃像

瑾妃，珍妃的姐姐，光緒帝的三位后妃之一。

西一長街

西一長街在後三宮的西面，長街西側南部為養心殿，北部為西六宮。

從明初至清東、西六宮名稱變更

明初原名稱	嘉靖十四年改稱	明代晚期改稱	備注
咸陽宮	鍾粹宮	—	明初皇太子居處
永寧宮	承乾宮	—	皇貴妃居處
長安宮	景仁宮	—	清康熙皇帝生於此
長陽宮	景陽宮	—	清代用來貯藏書畫
永安宮	永和宮	—	瑾妃曾居此宮
長壽宮	延祺宮	延禧宮	晚清仿水晶宮的水殿
壽昌宮	儲秀宮	—	慈禧為貴妃時居處
萬安宮	翊坤宮	—	—
長樂宮	毓德宮	永壽宮	—
壽安宮	咸福宮	—	—
長春宮	永寧宮	長春宮	—
未央宮	啟祥宮	太極殿	—

東六宮・景仁宮

　　景仁宮是東六宮之一。順治帝第三子玄燁（康熙帝）出生在這裏。乾隆帝、道光帝做太子時在這裏住過，光緒帝的珍妃也在這裏住過。

景仁宮前石屏風

景仁宮前石屏風上的四個石獸之一

西六宮・儲秀宮

　　儲秀宮是西六宮之一，原名壽昌宮，明代永樂十八年（1420）建成，嘉靖十四年（1535）改名儲秀宮。清代曾多次修葺。光緒十年（1884）慈禧太后五十整壽時，耗費白銀63萬兩修繕一新，在十月壽辰時移居於此，住了十年。現在保持的是修繕後的原狀。當年慈禧居儲秀宮時，這裏有太監二十多人，宮女、女僕三十多人，晝夜伺候慈禧的起居。

　　儲秀宮為單簷歇山式建築，五楹。殿前有一寬敞的庭院，庭院裏有兩棵蒼勁的古柏。殿台基下東西兩側安置的一對戲珠銅龍和銅梅花鹿，也是慈禧五十壽辰時鑄造的。儲秀宮外

儲秀宮前青銅雕龍

簷油飾，採用色澤淡雅的花鳥魚蟲、蔬果博古、山水人物、神話故事等為題材的蘇式彩畫。外簷裝修有楠木雕刻「萬福萬壽」、「五福捧壽」等花紋門窗。

儲秀宮廊壁上「萬壽無疆賦」

廊壁上「萬壽無疆賦」也是慈禧五十壽辰時，大臣楷書恭寫的頌詞。

儲秀宮前青銅雕鹿

儲秀宮的內簷裝修精巧華麗。正間後邊為楠木雕的「萬福萬壽」裙板鑲玻璃罩背，罩背前設地平台一座，座上擺紫檀木雕嵌「壽」字鏡心屏風，屏風前設寶座、香几、宮扇、香筒等。

這是慈禧平時接受臣工問安的座位。在正間東側和西側有花梨木雕竹和雕玉蘭裙板玻璃碧紗櫥，玻璃內鑲大臣畫的蘭竹，從而與兩側室隔開，顯得正間裝修嚴謹。

西側碧紗櫥後為西次間，南窗、北窗下都設炕，是慈禧休息的地方。由西次西進是寢室，它以花梨木雕「萬福萬壽」邊框鑲大玻璃隔斷西次間，隔斷處有玻璃門，隔玻璃可見次間一

儲秀宮內寶座

儲秀宮內擺設

切，隔而不斷。暖閣北邊是牀，牀前安硬木雕「子孫萬代」葫蘆牀罩，牀框張掛藍綢緞藤蘿幔帳；牀上安紫檀木框玻璃鑲畫橫楣牀罩，張掛緞面綢裏五彩蘇繡帳子，牀上鋪各式繡龍、鳳、花卉錦被。東裏間北邊有花梨木透雕纏枝葡萄八方罩，構圖生動，玲瓏剔透，製作精細，堪稱晚清傑出的木雕藝術作品。東次間與裏間都以花梨木雕做間隔，宮內陳設富麗堂皇，多為紫檀木和嵌螺鈿的漆傢具。有象牙龍船、鳳船和祝壽玲瓏塔，有緙絲的福祿壽三星祝壽圖，有點翠鳳鳥和花卉掛屏，有名貴的竹簧多寶格和花梨木嵌寶石的櫃櫥、面盆架子等工藝品。

儲秀宮內景

儲秀宮內紫檀八方罩

儲秀宮內房間

西六宮 · 長春宮

長春宮是西六宮之一，在明朝本是天啟皇帝的李妃的住所，清末慈禧太后於同治帝親政後，曾移居長春宮。院內的戲台是經常為她演戲的地方。光緒帝及清遜帝溥儀的妃子也都在這裏住過。

長春宮大院走廊四角，用整個牆高作為長度，繪有十餘幅以《紅樓夢》為主題的大型壁畫，大概是光緒年間的作品。紫禁城的宮殿內彩檻雕簷、繡薨畫棟，繽紛的彩繪上除了圖案性的花紋，還夾有很多「開光」式小畫幅，山水、花鳥、人物，無不具備，但用如此規模繪製《紅樓夢》壁畫，僅見長春宮一例。

長春宮內景

長春宮院內四周廊內壁畫

畫筆工細，透出典雅娟秀之氣。整幅佈局巨麗精整，深遠曲折。從小處看，雖一草一木，筆致細膩，並運用了「透視學」的原理去表現樓台景物，有立體感。

從長春宮院內戲台看長春宮

西六宮・太極殿

太極殿初名未央宮，因明代嘉靖皇帝的生父朱祐杬（興獻王）生於此宮，所以在嘉靖十四年（1535）更名啟祥宮。清代又改名為太極殿。清末同治帝的瑜妃住在這裏。殿前有高大的琉璃照壁，與東西殿組成了一個寬敞的庭院，在蔥翠的樹蔭下顯得非常靜雅。

太極殿內松竹梅條桌

太極殿內景

漱芳齋在重華宮的東翼院內，是乾隆年間改建西二所時增設的。（詳見本書 154-155 頁）

漱芳齋內景

漱芳齋廊子

皇帝寢宮 · 養心殿

養心殿位於西六宮的南面，原是明代所建，清代雍正年間重修後，雍正及以後的皇帝都住在這裏，成為他們統治國家發號施令的政治中心。

明、清皇帝的寢宮原本是乾清宮。到清朝雍正皇帝時，他不願意再住到父親康熙皇帝住了六十多年的乾清宮去，就決定住在養心殿為父親守孝。但守孝期滿後，沒有搬動，養心殿就成為他的寢宮和處理政務的地方

了。雍正之後的清朝諸帝大都沿襲了這一傳統。

這座宮殿是「工」字形建築，前殿後殿相連，周圍廊廡環抱，比較緊湊，前殿辦事，後殿就寢，舒適自如。這裏與掌握軍國要務的軍機處距離很近，召見議事較為方便。外院矮小的房屋是太監侍班的地方，官員也可以在此暫候召見。養心殿院內的東西配殿是佛堂。

養心殿位置圖

養心門影壁

從玉璧中心洞眼看養心門匾額

養心門外的玉璧

養心門外東值房

養心殿前面是明、清皇宮的內膳房（外膳房在景運門外）。皇帝進膳沒有固定的地方，活動到哪裏就在哪裏傳膳。由於皇帝總是在進膳後辦事，所以在宮內進膳多是在養心殿、乾清宮等處。內膳房設在養心殿前是很方便的。

養心門內影壁

養心殿前三頭鶴香爐

養心殿庭院

養心殿殿內正中設寶座。西暖閣是皇帝的起居室，有時也在這裏召見大臣。再西的套間在乾隆時是貯藏王羲之、王獻之、王珣字帖的地方，因名「三希堂」。東暖閣在同治以後改為召見大臣的場所。清咸豐十一年（1861）慈禧通過政變上台，歷經清同治、光緒兩朝垂簾，統治中國達四十八年之久。養心殿之後為寢殿，相互連接成「工」字形的佈局。寢殿兩旁的廡房稱體順堂、燕喜堂，是皇帝召來的后妃暫憩之處。

養心殿西暖閣

雍正帝至咸豐帝時經常在此召見軍機大臣。

養心殿正殿及一角

養心殿正間，設有寶座，上有藻井，和乾清宮一樣是召見大臣、引見大臣的地方。

養心殿內的東暖閣

東暖閣是皇帝召見大臣商議國家大事的場所。清朝末年，慈禧曾在此垂簾聽政。現在這裏的陳設和裝修是光緒時期的原狀。小皇帝坐在前面的寶座上，慈禧坐在後面的寶座上，中隔黃紗簾。

養心殿透視圖

養心殿內垂簾聽政處

養心殿內垂簾聽政處側影

養心殿正間向北是把前後殿連接起來的穿堂，走過去是後殿——寢宮。寢宮一字排開，有五間房，正間正面設坐炕一鋪。東次間設有寶座，紫檀長條案，西次間設有紫檀雲龍大立櫃和坐炕等，東、西兩梢間正面均為炕牀，即俗所謂「龍牀」，此外還有坐炕、桌案等。五間房內的佈局大體對稱而略有變化。這裏的陳列是按清末光緒時期的樣式佈置的。

寢宮東面的體順堂，是皇后在養心殿和皇帝共同生活的寢宮。西面是燕喜堂，是妃嬪們聽候召喚的休息室。養心殿後院牆還開有兩個小門，東叫吉祥，西叫如意，這就是平時出入的便門了。

養心殿後體順堂東次間

條蹕九重臺香蓮萬
壽杯依旬初降雨三
月早聞雷露結朝隮
蜜花含宿雨開幸承
天澤豫湯使日光催
同雲接野烟飛雪舞
長天拂齊添梅色湯
樓助粉妍光含班氏
扇約入樊王紅六出
迎儷藥千箱薈瑞年
廣曰李嶠喜雨喜雨
律詩

臣潘祖蔭敬書

養心殿後殿 —— 皇帝寢宮

三希堂

　　與養心殿西暖閣相連的三希堂由兩間小閣組成，每間小閣只有 4 平方米，但室內裝修十分講究，至今大體保存着乾隆時的面貌。隔扇以楠木雕花窗格中間夾透地紗做成，外間以藍白兩色幾何形圖案的瓷磚鋪地。乾隆曾在這裏藏有晉代大書法家王羲之的《快雪時晴帖》、王獻之的《中秋帖》和王珣的《伯遠帖》，視為「希世之珍」，因名「三希堂」。乾隆皇帝書寫的匾額和《三希堂記》墨跡，至今還掛在牆上。對面牆上的畫，就是當時

養心殿內三希堂

的宮廷畫家金廷標畫的王羲之、王獻之、王珣的故事畫。在寬闊的大型宮殿中出現這樣小小的精舍，是室內裝修的一種間隔手法。

三希堂迎門的西牆上掛着通天連地的《人物觀花圖》，是乾隆三十年（1765）郎世寧、金廷標合畫的。畫面上的窗格和瓷磚完全仿照室內鋪地

裝修，由於運用了近大遠小的透視原理，畫面中的景物與室內實景相接而延伸，驟眼看好像裏面還有一間房子。

三希堂外間

《中秋帖》

傳為東晉王獻之書。草書，三行，共二十二字，無署款。

《伯遠帖》

是王珣問候朋友疾病的一封信札，筆力遒勁，灑脫流暢。是東晉王氏家族現存於世的唯一真跡。

《快雪時晴帖》局部

傳為東晉王羲之的行書作品，《快雪時晴帖》全文共四行，二十八字。它是作為一封信札寫就的，其內容是作者在大雪初晴時以愉快心情對親朋友人的問候。

太上皇宮殿・寧壽宮

寧壽宮位於紫禁城的東部，俗稱外東路，原是明代的一號殿、仁壽宮的位置。康熙二十八年（1689）重建為寧壽宮。乾隆三十七年（1772），清高宗對寧壽宮大加擴建，準備退位後當太上皇時居住，才成為現在的規模。

在皇極門和寧壽門之間是一個寬闊的庭院，周圍植有盤曲的古松，頗為風雅。門裏的皇極殿和寧壽宮，氣魄宏偉，是模仿太和殿、坤寧宮的形制而建的。

進了寧壽門，便是一條高出地面1.6 米、長 36 米的白石甬路，直通皇極殿的月台，自然地將皇極殿前的院落劃成東、西兩部。沿月台、甬道及宮門的垂帶踏跺，都圍以雕有龍鳳紋飾的白石欄杆。皇極殿為九開間，重簷廡殿頂，建築等級略低於太和殿，屋頂圓和、翼角玲瓏，形體壯麗蒼

皇極殿西廡

秀。東西廡房較為低矮，以突出主殿的巍峨。皇極殿內外簷裝飾多仿太和殿格式。皇極殿後就是寧壽宮，兩殿間有寬闊的石甬道相連。從平面佈局看，這是個由甬道貫穿的「王」字形台基，承托着寧壽門、皇極殿、寧壽宮，前後呼應，連成一體。自寧壽門

的東西兩邊建起連簷的廡房，沿院落的周圍轉折而北，作抄手廊房式與後殿寧壽宮相接，圍成了 5000 餘平方米的大庭院。在皇極殿的兩山與廡房間築卡牆，建成東、西兩座垂花門，又將大院分為前後兩個小院。

寧壽宮位置示意圖

皇極殿正面

珍妃井

位於寧壽宮北端的貞順門內，光緒二十六年（1900）八國聯軍攻入北京時，慈禧太后攜光緒帝西逃。臨行前，她命太監將幽禁在景祺閣北小院中的珍妃推入這口井中淹死，此井因而得名「珍妃井」。光緒二十七年（1901）慈禧一行從西安回宮後，才將珍妃屍體打撈上來，後葬於清西陵。

寧壽門外景

太上皇宮殿・養性殿、樂壽堂

　　寧壽宮的後部以養性殿、樂壽堂為主，位居中路。東有暢音閣、慶壽堂、景福宮一組燕娛建築，西有古華軒、遂初堂、粹賞樓和符望閣一組園林建築，構成了太上皇的「小內廷」。

　　養性殿位於寧壽宮一區的後半部，在養性門內。殿坐北南向，前簷右側出抱廈，殿內東西間各有室，曲折迴環。該殿的結構形式，平面佈局和空間組合是仿養心殿建造的。

樂壽堂西廊及法帖

樂壽堂西廊法帖之一

養性殿近景

樂壽堂外景

樂壽堂仙樓

慈禧太后六十歲生日後，住在樂壽堂。

太后太妃宮殿 • 慈寧宮

太后、太妃的宮室在紫禁城的西側，通稱為外西路，包括慈寧宮、壽安宮、壽康宮等，供皇太后起居之用，太妃、太嬪也隨居此地。

慈寧宮是明嘉靖十五年（1536）在仁壽宮舊址上建起來的，萬曆年間遭火焚後又重建過。那時的正殿是單簷，並不太高。清乾隆三十四年（1769）重建時才改為重簷廡殿頂，很像坐朝用的大殿。它的後殿裏供滿佛像，因此又叫大佛堂。周圍築有朝房，對稱均齊。

壽康宮前後三進，位於慈寧宮的西面。它的宮殿之間都以「工」字殿的組合方法相互連接，便於起居。

壽安宮在壽康宮的後面，明代叫作咸安宮。現在該宮正殿的構架還是明代遺物，乾隆三十六年（1771）又經過改建。殿前左右連樓相屬，殿後有山石、小廊，通向福宜齋和萱壽堂。堂前小院點綴花木，幽靜典雅。壽安宮後的英華殿是一座佛堂，殿前有乾隆年間增建的碑亭。碑亭左右植有兩棵蔥郁茂密的菩提樹，整個庭院具有濃厚的宗教氣氛。

慈寧宮外景

皇子宮室

　　皇子宮室在東、西六宮之後，原是東、西五所，都是皇子們的住所。乾隆繼位以後，西五所因其幼年住過，升格為宮，在西五所址建起了重華宮和建福宮。同樣，嘉慶皇帝繼位後，也把原來的住處升格為毓慶宮。在寧壽宮南面建起南三所後，東五所就改為庫房了。

毓慶宮門額

毓慶宮是清代皇子居住的地方。

毓慶宮建築羣鳥瞰

東筒子直街

東筒子西為內廷東側的宮牆，東為寧壽宮西側的宮牆。寧壽宮一區建築，為乾隆帝時修建，乾隆準備當太上皇時使用，但他從未住過，而是一直住在養心殿。慈禧太后六十歲生日前後曾以此做寢宮。

東筒子朱車值房外牆

園林

紫禁城中的園林均係內廷宮殿的附屬花園。比較集中的有四處：御花園、建福宮花園、慈寧宮花園和寧壽宮花園。坤寧宮的宮後苑，也就是後宮的御苑，由於清代皇帝、皇后自雍正以後遷出後宮，遂稱御花園。慈寧宮南專為太后而設的花園稱慈寧花園。乾隆皇帝住養心殿，由於欣賞幽靜雅致的建福宮，遂在其西側建立建福宮花園，也稱西花園。寧壽宮花園是乾隆皇帝改建寧壽宮時所建的花園，後來也稱乾隆花園。

天一門前大香爐局部

這些花園規模上與「三海」（北海、中海和南海的合稱）、圓明園、頤和園等皇家園林迥然不同，既無山野水面的自然條件，又無寬闊豁亮的場地。四個花園的總面積僅得 3 萬餘平方米，每個花園只相當於一個中小

型的私家園林。但因處於宮內，屬皇家園林，在建築上也別具一格。

　　紫禁城內的花園佈置主要是根據地勢情況採取不同的手法。如果花園位置在主要宮殿軸線上，則採取均衡對稱，左右呼應的佈局。如御花園位於紫禁城軸線上就採取這種方法。

　　千秋與萬春兩亭，澄瑞與浮碧兩亭是對稱的方法，堆秀山與延暉閣，絳雪軒與養性齋，均為遙相呼應，保持了中軸線的基本格局。慈寧花園也居於慈寧宮軸線上，如咸若館居中，

以吉雲、寶相為左右兩側配樓，是絕對對稱的手法。如果花園位置不在宮殿軸線上，而是在主體宮殿之側，佈局則靈活多變。以曲徑通幽，迂迴曲折，取得步移景遷的藝術效果。建福宮花園與寧壽宮花園就是如此，把私家園林手法和宮殿氣氛協調起來。

　　從功能內容上看，紫禁城內園林，多數的亭台軒館是為休憩、遊賞而建，也有不少殿堂閣樓是專供敬神、崇佛、齋戒、頤養、藏書、閱覽等用。因此，它們成為皇帝和皇室成

員在紫禁城內日常活動的主要場所之一，也就極其自然了。

天一門前的大香爐

天一門

水磨磚造的券門，位於中軸線上，是欽安殿的正門。門前有鎏金麒麟及隕石台座各一對，門內有合歡樹一株，天一門與坤寧門之間有銅爐一座。

御花園

御花園，明代稱為「宮後苑」，係永樂年間與紫禁城宮殿同步建造而成，以後不斷增修，但仍保持着初創時的基本格局。園中不少殿宇和樹石，都是十五世紀的明代遺物。

全園南北深 80 米，東西寬約 140 米。園內的主體建築 —— 重簷盝頂的欽安殿，坐落在紫禁城的中軸線上。園內以它為中心，東西大致對稱地佈置了近二十座建築。但由於多數建築倚牆而建，只有小巧的亭台立於園中，因此園內尚顯得比較舒曠、空敞。

清代御花園內延暉閣選秀女照片

御花園平面圖

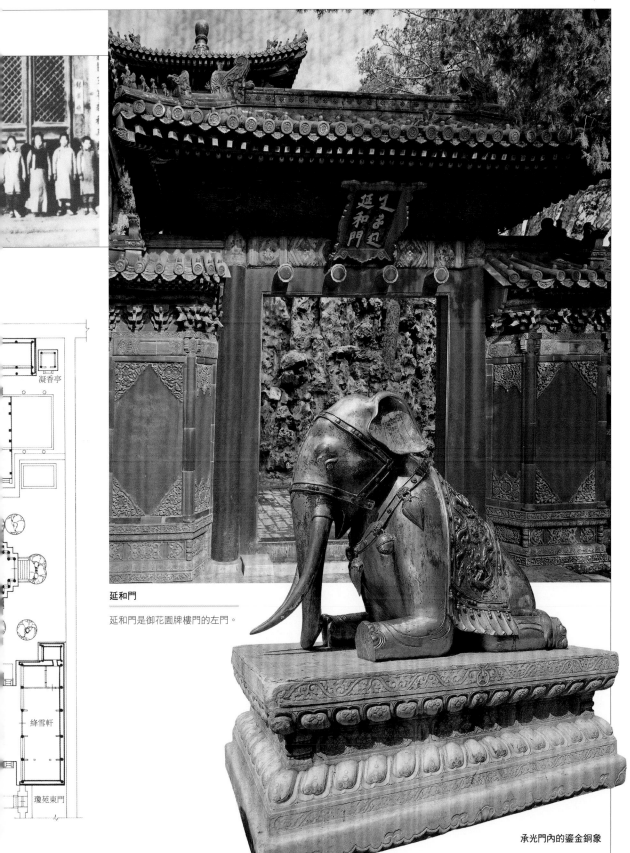

延和門

延和門是御花園牌樓門的左門。

凝香亭

絳雪軒

瓊苑東門

承光門內的鎏金銅象

御花園中的欽安殿左右有四座亭子：北邊的浮碧亭和澄瑞亭，都是一式萬亭，跨於水池之上，只在朝南的一面伸出抱廈；南邊的萬春亭和千秋亭，為四出抱廈組成十字折角平面的多角亭，屋頂是天圓地方的重簷攢尖，造型纖巧，十分精美。它們東西對稱，是園內引人注目的觀賞點。

寶頂中線
金桁中線
挑簷桁中線
正心桁中線
1.31　1.09　0.43
徑　徑　徑
0.27　0.27　0.19
米　米　米

脊桁中線
正心桁中線
挑簷桁中線
0.705 0.29
徑　徑　徑
0.27　0.27　0.19
米　米　米

寶頂上皮　2.12
當溝上皮　1.29
金桁上皮　0.65
正心桁上皮　0.44
挑簷桁上皮　0.64
上層平板枋上皮　0.57
上層枋下皮　0.97　13.28
博脊枋下皮　0.98
長扒橾下皮　0.74
平板枋上皮
台明上皮　1.0　3.88

平板枋　0.14×0.24
上額枋　0.43×0.32

正吻上皮　0.50
正脊上皮　0.80
脊桁上皮　0.49
正心桁上皮　0.36
挑簷桁下皮　0.49
平板枋上皮　0.98
小額枋下皮
台明上皮　2.90

平板枋　0.14×0.24
大額枋　0.42×0.32
出額墊板　0.14×0.07
小額枋　0.28×0.26

千秋亭縱剖面圖
單位：米

澄瑞亭

與浮碧亭相對，建在橋上，下臨碧水，亭南伸出抱廈。

千秋亭屋頂屋架平面圖
單位：米

四神祠

是一座前面帶敞軒的八角亭子，坐南向北，正對延暉閣。

萬春亭

明嘉靖十五年（1536）改建，上圓下方，重簷。西面與
千秋亭相對，造型相同，唯頂迥異。

御花園中，倚北宮牆疊築的石山建於明萬曆年間，是園中可以登臨的地方。石山雖是人工堆成，但洞壑玲瓏、峰巒積秀，且山勢險峻、磴道陡峭。其疊石手法甚為新穎，是一座台景擴大的堆法，被堆山匠師們稱為「堆秀式」。山前的獅子座上雕蟠龍，口噴水柱高達十幾米。

堆秀山全景示意圖

堆秀山

　　山上的御景亭建於四周護有漢白玉石欄杆的台基上，山的東西有蹬道可上，山前有門，門內是石洞，進門沿石階盤旋而上可達山頂御景亭。登上此山，極目遠眺，西山在望；俯瞰則紫禁城盡收眼底。

　　清宮中每年七月初七在御花園中祭祀牛郎星、織女星，皇帝拈香行禮，皇后、皇貴妃、貴妃、妃嬪等人再行禮。八月中秋之夜在此祭月，九九重陽節在此登高。

養性齋

在御花園西南隅，為七楹的閣樓。齋前假山堆圍，並有平台。與東南隅的絳雪軒本是對稱的建築，但在平面造型上一凸一凹，體量上一高一矮，對稱而不呆板。

御花園各處安置有各式盆景，千奇百怪，異常珍貴。

　　園裏的花樹，多為明代蒔栽。古柏老槐，鬱鬱蔥蔥，園內又羅列奇石玉座，盆花椿景，連地面也用各色卵石鑲拼成福、祿、壽文字及花卉、人物等各種圖案，將花園點綴得極其富麗。

海參石

「海參石」在御花園東側銅獬豸之前。它那圓滑柔軟的形態，肉感很強的外形，很像一段段海參。這是由數十段石質海參組成的插屏式陳設。

諸葛亮拜北斗隕石

這塊狀似僧帽的奇石不以雕鑿取勝，而以自然形成畫面而聞名。石面上一個形象逼真的躬身下拜的老人，頭戴道布、身着紫褶、長袖下垂，雙手拱起，面對前方黑石上點點星斗，作拜揖狀，形態生動，讓人聯想起精通天文的諸葛亮。

木化石

絳雪軒迎面雕石架座上屹立的是一段遠古的木化石。這段石粗看不像石質，好像是一段經久曝曬的朽木，背面有千百個蟲蛀孔，但敲之鏗然有聲，確是石質。石的正面有乾隆丙戌年（1766）的題句。

御花園的甬道以不同顏色的細石砌成各種圖案。路面的圖案組成，全園是一個整體，但每幅圖案又有獨立的內容，花石子路上的圖案總計約有九百幅，其內容有人物、風光、花卉、博古等，種類繁多，沿路觀賞，美不勝收。

頤和春色

御花園石子路

鶴鹿同春

關黃對刀

慈寧宮花園

慈寧宮南花園是乾隆年間在明代建築的基礎上改建的。花園的攬勝門內，疊有山石一座，起了「開門見山」的障景作用。山石之後，花台上萬紫千紅，映襯出跨池而建的臨溪亭。池亭周圍，又有含清齋、延壽堂和東西配房相向而立，使臨溪亭自然地成為花園南部的觀賞中心。花園北部的咸若館是全園的主體建築，其後及左右皆有重樓：館北是慈蔭樓，東廂是寶相樓，西廂是吉雲樓，圍成半封閉的三合院，既是花園北部的屏障，又使園西一區建築顯得低平、近人。

園裏建築物佈置規整，左右對稱，靠其精巧的裝修和周圍的水池、山石烘托出濃厚的園林氣氛，而園地蒔栽的梧桐、銀杏、松柏等樹，可收四時成景的效果。

慈寧宮花園平面圖

臨溪亭

臨溪亭建於橋上，橋架於一個長方形的水池上，水池四面立漢白玉欄杆。亭四面有門窗，可以全部打開。自亭東西可俯望池中游魚和蓮花。

慈寧宮花園內銀杏樹

含清齋勾連搭式屋頂

慈寧宮花園鳥瞰圖

慈寧宮花園內假山石子路

建福宮花園

建福宮西花園建於清乾隆五年（1740），它的園門設在建福宮惠風亭後，門內是以靜怡軒、慧曜樓一組建築為主體的院落，甚為封閉、安謐。有了這種過渡性的安排，它西邊的以延春閣為主體建築的院落便顯得開敞一些。延春閣的北邊和西邊，倚宮牆而建有吉雲樓、敬勝齋、碧琳館、妙蓮華室和凝暉堂，它們不僅以富華、豔麗的建築立面遮蔽了平直的宮牆，而且在一片樓堂連宇、花廊縱橫的空間裏襯托出延春閣的高聳和宏偉。延春閣的南邊疊石為山，岩洞磴道，幽邃曲折，山上又列奇石、亭建，間以古木叢篁，饒有林嵐佳致。

建福宮西花園的建造形式，深得乾隆皇帝的喜愛，成為他以後營建寧壽宮西花園的主要樣板。可惜在溥儀搬出紫禁城的前夕，花園遭焚，只存下惠風亭和一片山石了。

建福宮花園的圍棋盤石桌

敬勝齋

吉雲樓

慧曜樓

碧琳館

靜宜軒

凝暉堂

延春閣

存性門

玉壺冰

積翠亭

惠風亭

**建福宮花園
火災後照片**

建福宮花園平面圖

建　福　宮

撫辰殿

建福門

被燒毀之前的建福宮延春閣

乾隆皇帝將他最鍾愛的珍奇文物收藏建福宮，並經常
在花園內寫詩賞畫。嘉慶時，下令將其全部封存，這
裏成了名副其實的藝術寶庫。

1923 年 6 月 27 日，建福宮花園突然燃起一場神秘大
火，整座花園連同無數珍寶一夜之間化為灰燼。當時
還住在紫禁城內的清朝末代皇帝溥儀懷疑是太監監守
自盜，縱火毀滅證據。自此，建福宮花園就沉睡在瓦
礫之下長達 80 年之久。1999—2006 年，故宮博物
院對建福宮進行了復建。

寧壽宮花園

　　寧壽宮花園建於乾隆三十六年到四十一年（1771—1776）。花園佔用了南北深 160 米、東西寬 37 米的縱長地帶，前後劃分為四進院落，佈局緊湊、靈活，空間時閉時暢，曲直相間，氣氛各異。

　　首進衍祺門，迎面是石山，繞過石山豁然開朗。主體建築古華軒坐北居中，古華軒庭院東階下，佈置了山石亭台，構成一個比較自由的建築院落組合。西面禊賞亭抱廈中設「流杯渠」，渠做如意形迴繞，引水於渠中，杯浮於水上，飲酒詠詩，可作「曲水流觴」之樂。東南角上另有院中之院，廊曲路回，頗有雅趣。

衍祺門

衍祺門是寧壽宮花園的正門。開門，迎面便可看到一座玲瓏剔透的山屏。山屏背後，松柏枝梢搖曳，山前是一條曲折的小徑，用五顏六色的石片鋪墁成冰裂圖案。這種入口設計是一種一阻一引的中國園林「曲徑通幽」的手法。

瀛台內流杯渠（1900 年攝）

倦勤齋

貞順門

竹香館

玉粹軒

符望閣

如亭

雲光樓

碧螺亭

萃賞樓

延趣樓

聳秀亭

三友軒

遂初堂

旭輝庭

古華軒

露台

擷賞亭

矩亭

抑齋

水井

衍祺門

寧壽宮花園平面圖

禊賞亭內流杯渠

渠水來自亭南側假山後掩蔽的水井，汲水入缸，經假山內暗渠流入渠內。上下水道都隱在假山下，好像源泉湧自山崖，在設計上煞費苦心。在慈寧宮花園的綠雲亭內及中南海也有相類的流杯渠。

禊賞亭

平面為凸形，三面出歇山頂，中間為四角攢尖的亭式建築，與東面承露台遙相呼應，另與古華軒成並蒂蓮狀的對景。命名取晉王羲之「蘭亭修禊」之典。明間後設黑漆雲龍屏門，擋住了亭後的高牆，有延伸花園西進之感。北側有遊廊接旭輝庭。

寧壽宮花園內流杯渠貯水用的海缸

寧壽宮花園・古華軒

古華軒為寧壽宮花園第一進院落的主體建築，建於乾隆三十七年（1772）。軒坐北面南，為歇山捲棚式敞軒，面闊三間，正面懸掛乾隆帝御筆「古華軒」木匾。

古華軒坐北處中，四周環以迴廊，周圍安裝坐凳與拱楣。軒內是楠木本色鑲嵌天花，雕百花圖案，古樸淡雅。軒前有古楸一株，是建軒前故物，有意保存，作為軒前借景，花冠甚美，因之得名，乾隆帝曾賦有《古楸行》。

古華軒之東湖石堆疊的山巒主峰上建有承露台，四周白石雕欄環繞，透過掩映的松柏，看過去極為精巧秀麗。台下山石間闢有門，洞北洞東有石階可到台上，假山下有一座小洞式佛堂，精巧別緻，引人有深山古剎的聯想。

左圖　**仰看承露台**
右圖　**假山下佛堂洞門**

古華軒南望

古華軒內簷和後簷四間懸掛木雕龍匾區四塊，明間楹聯一副，均是乾隆帝為古楸而題。軒前簷下有古楸一株，構軒時樹齡已逾百年，倚樹建軒，故名「古華軒」。古華軒的裝修古樸素雅，尤其軒內天花別具一格，擯棄通常的彩繪裝飾方法，採用以捲草花卉為圖案的楠木貼雕，典雅高貴，氣度不凡。由於圖案凸起於天花板之上，在光影的變化中產生很強的立體感，雖不如彩繪貼金般光燦奪目，但其藝術韻味和裝飾效果卻獨具一格，別出心裁。

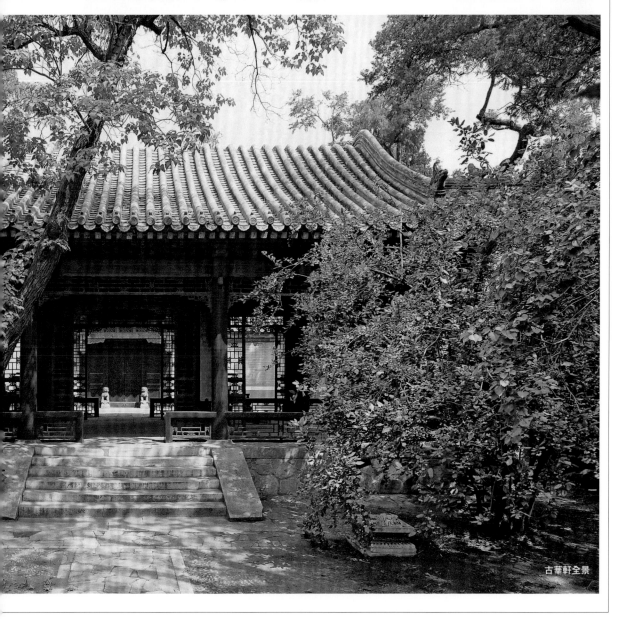

古華軒全景

寧壽宮花園・曲尺廊、旭輝庭

曲尺廊位於寧壽宮花園的第一進的東南角，利用廊隔出一個小院，打破了方正呆板的格局，也取得了與西北角旭輝庭在構圖上的均衡。

旭輝庭位於寧壽宮花園內第一進院落的西側，是隨山向北漸漸高起而建的一座三開間捲棚歇山式建築，坐西朝東，面迎日出，因此取「旭輝」之名。旭輝庭爬山廊連接旭輝庭和山下的禊賞亭。山與建築結合，遮擋外邊宮牆視線，是一種摒俗手法。

曲尺廊側影

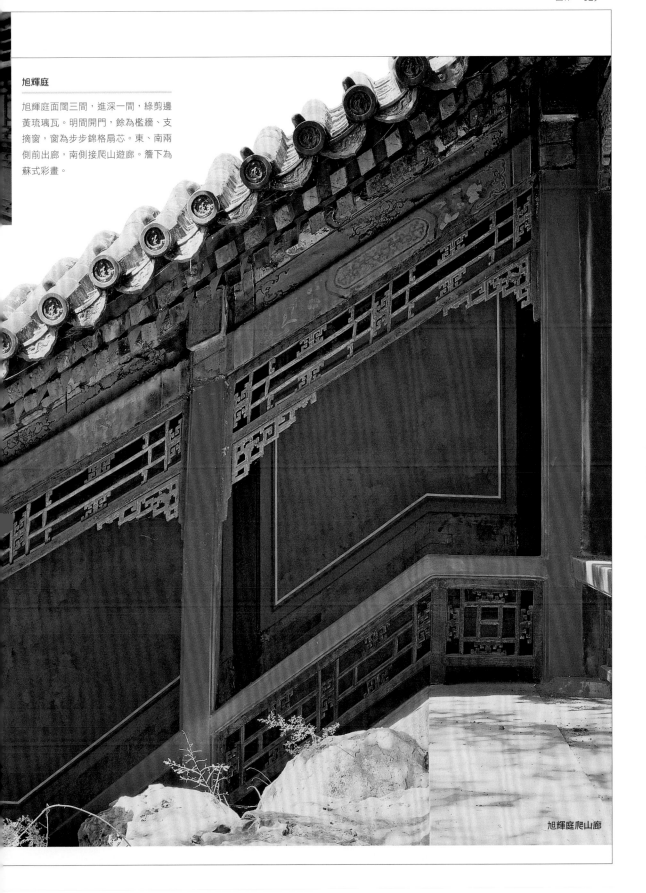

旭輝庭

旭輝庭面闊三間，進深一間，綠剪邊黃琉璃瓦。明間開門，餘為檻牆、支摘窗，窗為步步錦格扇芯。東、南兩側前出廊，南側接爬山遊廊。簷下為蘇式彩畫。

旭輝庭爬山廊

寧壽宮花園・遂初堂、聳秀亭

第二進的遂初堂，是典型的三合院。遂初堂前垂花門在古華軒北，門內僅立幾塊湖石為景，環境幽靜、雅致，兩側是磨磚細砌的清水牆面，下面襯托着彩色石片鑲貼的冰裂台明（古建築台基露出地面部分稱台明），一反宮中牆面朱紅粉飾的定式，給人特別清新的感覺。

遂初堂後第三進院以山景為主。院中峰巒起伏，山間有深谷，山下有隧洞通向四方。上山有蹬道，山上有天橋，聳秀亭屹立山頂。院北有萃賞

聳秀亭雪景

聳秀亭平面呈方形，四角攢尖頂。亭下懸崖峭壁，洞谷幽深。登臨亭內，可俯瞰園內外景致，如果由下仰望，可見「一線天」的奇景。

樓，西有延趣樓，東南
麓有座北面南的三友
軒，三面出廊，東面緊
靠樂壽堂西廊。

遂初堂前垂花門

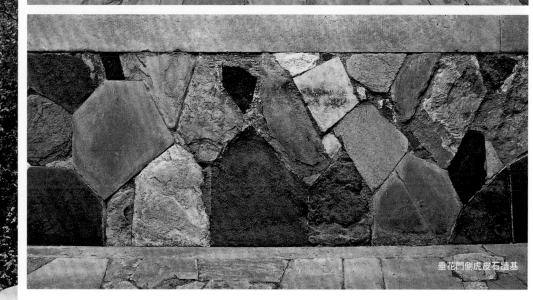

垂花門側虎皮石牆基

寧壽宮花園．三友軒

　　三友軒位於遂初堂北第三進的東南角，坐落在山麓之陽，寧壽宮花園內最高處。其建築為三間北房，有高山做屏障，擋住西北風，軒內設有取暖的地炕，為冬季遊園休憩之所。三友軒的屋頂，西面是歇山式，其東面為了同樂壽堂相接，改作懸山式。這種做法在紫禁城中只此一處，完全是江南私園的建築手法。

　　三友軒深藏山塢，環境幽雅，室內裝修十分精緻，雕鏤精細。裝修圖案主要用松、竹、梅，寓「歲寒三友」之意。

三友軒正面

三友軒室內的紫檀嵌玉隔扇

三友軒內月亮門

三友軒內月亮門，以竹編為地，紫檀雕梅，染玉做梅花、竹葉，象徵「歲寒三友」。

三友軒紫檀雕松竹梅窗

寧壽宮花園・延趣樓

寧壽宮花園的第三進庭院中央重巒疊嶂，洞谷相通，環山佈置建築。西北面為延趣、萃賞兩樓。上下帶廊，樓下的走廊與曲尺遊廊相連，成一條沿廊觀賞的路線。樓上外廊可以憑欄眺望庭中山景。

延趣樓建於清乾隆三十七年（1772），嘉慶、光緒年間曾三度修繕。延趣樓的嵌瓷片，萃賞樓的嵌畫琺瑯，都有很高的工藝水準。

延趣樓

延趣樓分上下兩層，連廊面闊五間，進深三間。上覆歇山捲棚頂，以黃色琉璃瓦件飾簷、脊，其餘鋪綠色琉璃瓦，脊角安走獸五個。簷下樑枋飾以蘇式彩畫。延趣樓東、南、北三面出廊。廊簷部位上安倒掛楣子，下設欄杆。廊內側安門窗以分隔室內外空間，門窗上部皆用櫺條拼成「步步錦」形式，素樸雅致。室內裝修以多種做工精美的瓷片鑲嵌裝飾。延趣樓初建時曾有天橋從樓上直通院內石山峰頂。嘉慶二十二年（1817），將天橋拆去，遂成現今的格局。

延趣樓前假山

延趣樓內寶座

寧壽宮花園‧碧螺亭

碧螺亭坐落在寧壽宮花園第四進院子疊石堆山的主峰上，為重簷五柱，攢尖式紫琉璃瓦頂。亭底平面做低矮五瓣的須彌座，亭柱圍以弧形坐凳式欄板，內外雕刻各種不同樣式的梅枝，亭簷下倒掛的楣子和亭內天花板也有雕刻非常精細的梅花圖案，上下簷額枋彩畫題材是海墁式的點金加彩折枝梅花。亭子頂部，每層用五條垂脊，分為五個坡面，也是仿梅花五瓣之意，色調以藍綠色為主，好像是無數梅花簇擁成的大花籃，故俗稱「梅花亭」，是宮中園林建築中少見的亭式。亭南石橋飛架，通萃賞樓，輕靈精巧，與地面依山而行的通路，形成了上下兩層的通路。這種上下兩層縱橫交錯的通行方法，與現代立體交叉橋樑的設計思想頗有相似之處。

寶頂

碧螺亭小橋

碧螺亭全景

寧壽宮花園・符望閣

符望閣是第四進景區的主體建築，也是全園中心主景建築。它雄踞於寧壽宮花園北部，以整座石山圍其前院，又用廡廊聯繫閣後齋館，形成不同的景致和趣味。符望閣是進深五間，周圍帶廊的兩層閣樓，四角攢尖式屋頂，氣勢端重。閣四周以遊廊短牆等隔成幾個似通又隔的小院。閣內底層用精工雕金鑲玉嵌的裝修縱橫間隔，曲折彎轉，富於變化。完整觀賞一次室內景色最少需轉折二十個方位。置身其中，穿門越檻之際，往往迷失所在，故俗稱「迷樓」。

在符望閣的北面，兩側用遊廊與符望閣的兩廊銜接，形成四周為廊的天井。

從佈局藝術來說，符望閣是全園的高潮，倦勤齋則如後罩房。

符望閣琺瑯嵌玉方窗

符望閣內裝修以掐絲琺瑯為主。

符望閣外景

符望閣嵌玉透繡隔扇

寧壽宮花園內的樓閣軒堂，不但在外觀上富麗堂皇，而且室內裝修也極為講究。花罩隔扇都用鏤雕、鑲嵌工藝。室內嵌竹絲的掛簷、嵌玉透繡隔扇等裝飾，極其精美。

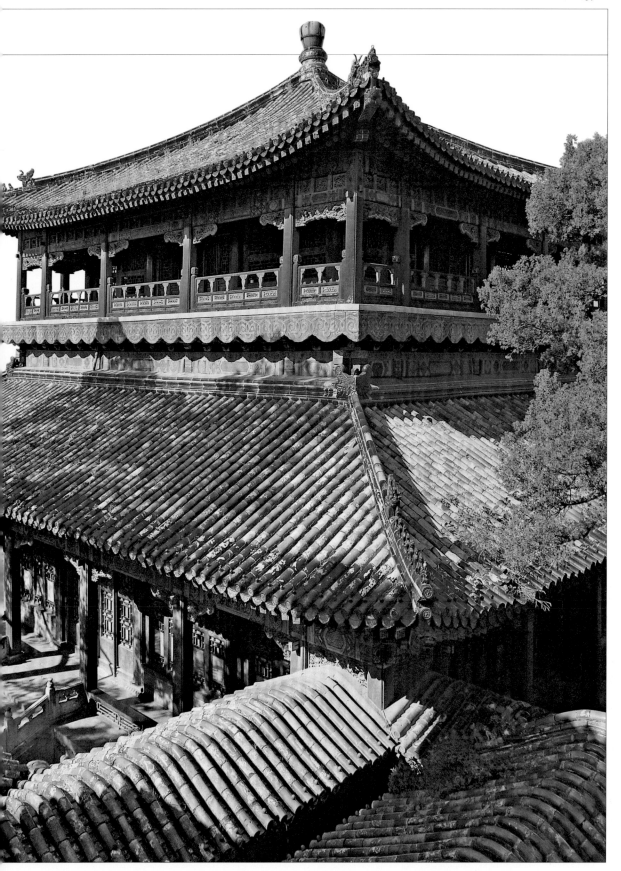

寧壽宮花園・倦勤齋

倦勤齋位於寧壽宮花園最北端，係仿建福宮花園中的敬勝齋而建。倦勤齋的裝修更精，掛簷以竹絲編嵌，鑲玉件，四周裙板雕《百鹿圖》，隔扇心用雙面透繡，處處精工細雕，令人歎為觀止，為乾隆時期內簷裝修之精品。

從褉賞亭到倦勤齋，寧壽宮花園內共有建築物二十餘座，類型豐富、大小相襯、虛實對比，有的還因地制宜，在平面和立面上採用了非對稱的處理，在制度嚴謹的禁宮之中，尤其顯得靈巧、新穎。

全園山石亭景別具風采。各進院落的山石，採用了不同的疊壘技巧，既有單豎的奇石，又有成羣的峰巒，崖谷峻峭、洞壑幽邃，同周圍的建築物相配合，給人以華美、精巧的印象。

倦勤齋正間寶座

倦勤齋正間

倦勤齋內《百鹿圖》裙板

寧壽宮花園 · 景祺閣

　　景祺閣位於寧壽宮中路北端，寧壽宮花園東側，為二層樓閣式建築，面闊
七間，進深三間，黃琉璃瓦歇山頂。閣後有小院，西牆外即是珍妃井。

景祺閣東院

景祺閣正面外景

戲台

　　紫禁城裏戲台很多，都分佈在內廷區。至今保存完好的有寧壽宮後閱是樓院中的暢音閣大戲台、倦勤齋室內的小戲台、重華宮區漱芳齋院中和齋內的「風雅存」小戲台，以及長春宮院內的戲台，等等。它們之中，有室內室外之別，有高低大小之分，各有不同的建築形式，可以適應不同規模的演出。

暢音閣戲台獸面柱頭

　　帝王之家在宮中主要的娛樂是看戲。宮中每逢節日如立春、上元、燕九、端午、七夕、中秋、重九、冬至、臘月、除夕，以及帝后生日、登極、冊封等等，都演戲。宮中有專業的戲班子。所演戲劇內容，根據節令和喜事的不同而定。如立春日上演《早春朝賀》等；上元節則上演《萬花

向榮》等；而皇帝、皇太后萬壽生日，則上演《四海昇平》《萬壽無疆》等，多是歌功頌德和吉祥如意的帝王神仙戲。到光緒中期，才有宮外戲班入宮承應，演社會上流行的名劇如《拾玉鐲》《雙包案》等。演出地點多在長春宮、漱芳齋和暢音閣大戲台。到光緒後期，當時社會上的著名京劇演員如譚鑫培、梅蘭芳等都曾入宮演出。

戲單

宮廷劇本，是由專門寫字人抄寫的。用於排演的劇本叫作「公用本」，供皇帝看戲時閱覽的叫「安殿本」，朱色句讀，精楷繕寫，規格嚴整。收錄每齣戲的唱詞、說白、排場、行當、穿扮、砌末等一應內容。

暢音閣戲台下層正面

暢音閣大戲台

暢音閣大戲台是清宮中最大的戲台，在寧壽宮後東路的閱是樓院中，為「三重崇樓」，建於乾隆三十七年（1772），曾於嘉慶七年（1802）和光緒十七年（1891）重修。

暢音閣戲台共三層，上層稱「福台」，中層稱「祿台」，底層稱「壽台」。有木樓梯可供上下。壽台是一個面闊三間、進深三間的方形台面，很寬敞，面積相當於普通戲台的九倍。壽

台場門分設在台後兩側。場門上方是橫列於台後的仙樓，從仙樓上可下到壽台，又可上到祿台，均由木蹬踏垛上下。壽台台面下的中央和四角，有五口地井，平時演戲，蓋上木板，使

暢音閣戲台外景

暢音閣大戲台雖然是乾隆皇帝所建，但由於他並沒有在寧壽宮居住和遊息，所以他在暢音閣看戲機會很少，經常看戲的地方，是漱芳齋和後殿金昭玉粹。到乾隆後期，遇有大節如元旦、萬壽等，才在暢音閣看戲。暢音閣演戲最多的是在慈禧太后當政時，不論是住在儲秀宮還是住在寧壽宮的樂壽堂，凡遇大節，慈禧總是到暢音閣看戲，並由皇帝、后妃、命婦以及王公大臣陪同。

用時打開，靠安裝在地下室的絞盤將佈景托出台面。如演《地湧金蓮》時，坐着五尊菩薩的五朵大蓮花座，就是從這五口地井徐徐升上台面的。中央的一口地井，地下有水，那是為了引起共鳴，增加音響效果。壽台的上方，另有三個天井，是在演某些戲種時，用轆轤架將人或佈景送下壽台。如演《羅漢渡海》時，「海市蜃樓」就是從二層天井吊下壽台的。

暢音閣戲台的後部，是兩層的扮戲樓，是演出的輔助用房。面闊五間，進深三間，空間相當高大。屋頂同戲台的二層屋簷連搭一起，構成一座前高後低有起伏的大型戲樓。

頤和園大戲樓

頤和園大戲樓與承德避暑山莊的清音閣、紫禁城內的暢音閣，合稱清代三大戲台。頤和園大戲樓是為慈禧六十歲生日修建的，其規格仿照暢音閣，但規模逾之。頤和園大戲樓不僅有天井和地井，而且在舞台底部還設有水池，演戲時台上可以噴出各種形式的壯觀的水景。

暢音閣中層內景

暢音閣上層內景

暢音閣福台和祿台的台面範圍很小，這是根據坐在閱是樓寶座上看戲的皇帝的視線而設計的。當演出《九九大慶》等承應大戲時，數以百計的神佛角色，同時在福、祿、壽三層台上出現，構成大幅有聲的、活動着的「朝聖圖」、「羣仙祝壽圖」和「極樂世界圖」，場景是十分有趣的。

暢音閣後台一角

光緒十年（1884）逢慈禧五十歲生日，九月二十二日至二十八日在暢音閣演大戲，十月初八至十六日又在暢音閣和長春宮同時演戲九天，每天演戲達六七小時。十月十日生日這天，慈禧在暢音閣看戲，坐在閱是樓正中，兩旁是光緒和他的后妃。閱是樓東西兩廂是內廷王公、內閣大學士、六部尚書、御前大臣、軍機大臣及內務府大臣等。閱是樓及內外兩廂掛滿福祿壽燈四百五六十盞，真是鼓樂聲喧，燈火通明。為這次生日在暢音閣和長春宮演戲，購買戲衣、道具，耗白銀十一萬兩之多。清代宮中戲衣、道具至今尚保存完整。

閱是樓

閱是樓始建於清乾隆三十七年（1772），嘉慶年間重修，坐北向南，位於暢音閣的對面，面闊五間，進深三間，兩層樓。樓內設寶座，皇帝在此觀戲，慈禧也經常在這裏看戲。樓東西有圍房與暢音閣相接，是王公大臣們看戲的地方。

◎《避暑山莊演戲圖》

阮惠遣姪
阮光顯
入覲賜
宴之圖

誰能不戰

《避暑山莊演戲圖》局部

避暑山莊的三層戲台稱
為「清音閣」，與暢音閣
相似。此圖表現的是乾隆
五十四年（1789）清廷在
避暑山莊舉辦盛會，乾隆
皇帝在此看戲的情形。

倦勤齋戲台

倦勤齋是寧壽宮花園北部的一座建築。在其西室內建有一個小戲台，供南府太監演唱崑曲。它是一座四角攢尖頂的方亭式戲台，其木構件多雕成竹節狀，西、南、北面均以竹籬作為隔牆，靠北的後簷牆上畫着整幅的竹籬小院的壁畫，上掛藤蘿和蘿花，與頂棚滿畫竹籬藤蘿的海墁天花連成一片，形成一座「室內花園」。與紫禁城宮殿的紅牆黃瓦相比，別有風味。演戲時，皇帝坐在正對戲台正面的閣樓中觀戲。

倦勤齋頂部的海墁天花繪畫

倦勤齋室內小戲台

主要作為演唱岔曲之類用。

倦勤齋戲台前寶座

漱芳齋戲台

漱芳齋在重華宮的東翼院內，是乾隆年間改建西二所時增設的。這裏有大、小兩個戲台。大戲台在齋前院中，戲台每面四柱，當心間稍寬，作為台口。台的上方設有天井，覆以重簷歇山式屋頂，裝飾極為華麗。這是皇帝在新年元旦期間受賀或宴請王公大臣時看戲用的。小戲台在漱芳齋後「金昭玉粹」室內，為四角攢尖方亭，供皇家家宴時表演小節目或演出小戲之用。

漱芳齋院內戲台

漱芳齋戲台天花

漱芳齋戲台台口「諧音」「佾舞」

漱芳齋內「風雅存」小戲台

長春宮戲台

西六宮長春宮和太極殿之間的體元殿,是清代晚期改建長春門時修建的。殿後北向出抱廈三間,可作演戲之用,是為長春宮戲台。戲台較為寬敞,柱間置有低平的木質坐凳欄杆和簡潔的倒掛楣子,甚為素雅。

佛堂、道場及其他祭祀建築

宮中有許多殿閣是專供皇室進行宗教祭祀活動的場所。清初雖然將蒙、藏地區信奉的藏傳佛教的黃教奉為國教，宮中供奉以佛為主，但道教和儒教也保有一定的地位。另外還有一些其他方面的祭祀。

宮中的佛堂、佛樓、佛閣，主要佈置在內廷中的太上皇宮殿——寧壽宮，還有太后、太妃的宮室——慈寧宮、壽安宮、壽康宮等區。如寧壽宮後區東路的佛日樓和梵華樓，慈寧宮後的大佛堂、慈寧宮花園、慈寧宮東北春華門內的雨花閣，壽康宮、壽安宮之北的英華殿等。另外，在後三宮的坤寧宮、東六宮的承乾宮等處，也都置陳神龕佛像、爐盤塔磬，供皇帝、后妃禮佛之用。

文華殿東側的傳心殿

有關道教的建築主要是明代所遺，如御花園中的欽安殿及其西南側的四神祠、東六宮東的玄穹寶殿等。有關儒教的建築主要是文華殿東側的傳心殿和乾清門內的祀孔處等。另外，宮中也有不少皇帝祭祖用的宮殿和祭祀壇廟前行齋用的宮殿，規模也很大，主要有奉先殿、齋宮等。

明代以前各朝皇帝祭祖，都在太廟。明代起，開創地建立了在宮中祭祖的制度，奉先殿也就成為皇室在宮中祭祖的家廟了。清代也沿襲了這一祭祖制度，不同的是，在明代，皇后必須每天率領妃嬪進殿，向神牌進獻食物，而清代則減掉了這項活動。

奉先殿在毓慶宮之東，始建於明代。現存的奉先殿是清順治十三年（1656）重建的，康熙十八年（1679）、康熙二十年（1681）和乾隆二年（1737）重修。殿的建築採取了面闊九間、重簷廡殿頂的崇高級別的體制。作為清代皇帝祭祖的地方，

它由前殿、後殿及穿廊組成「工」字殿，四周圍以高垣。前殿內供奉努爾哈赤以後歷代帝后的神牌，後殿供奉努爾哈赤以前的肇、興、景、顯四祖及其后的神牌。每年萬壽節、元旦和冬至（俗稱宮中的三大節）以及國家的一些大慶之日，如冊立皇后、冊封皇太子、御經筵、謁陵、巡狩回鑾、戰

爭凱旋等，皇帝都要親自或遣官到奉先殿致祭行禮。

齋宮在毓慶宮之西，東六宮之南，是清雍正九年（1731）在明代宏孝殿、神霄殿的舊址上興建的，嘉慶六年（1801）重修。清初，皇帝每年在南郊祭天、北郊祭地，冬至祈穀大祀之前，先乘禮輿到齋宮宿

住一天，再遷居壇內的齋宮一天，然後才能舉行祭祀儀式。行齋期間，不作樂，不飲酒，忌用辛辣，也不用蔥韭。

玄穹寶殿位於東六宮之東、東五所之南的欽昊門內。正殿五間，東西配殿各三間，為三合院式的庭院。正殿內祀昊天上帝。除每年正月初九傳大光明殿道士唸《玉皇經》一天外，其他活動與欽安殿基本一致。

傳心殿在東華門內文華殿之東，是清代康熙二十四年（1685）所建。建成後，殿內設立牌位，正中是皇師——伏羲、神農、軒轅；帝師——堯、舜；王師——禹、湯、文、武；西側是周公；東側是孔子。每年春秋仲月，皇帝親臨經筵的前一天，先來傳心殿祭告。殿的前院東側有一口大庖井，泉味獨甘，從順治八年（1651）起，每年在這裏祭祀井神。

祀孔處在乾清門內東廡的南端，與上書房相鄰，是宮內的又一祀孔之處。室內有乾隆皇帝御題匾額「與天地參」，供奉至聖先師及先賢先儒的神位。

城隍廟建於雍正四年（1726），位於紫禁城內西北角，內奉城隍之神。

雨花閣

雨花閣始建於清代乾隆年間，是宮中藏傳佛教建築。閣分三層，下層四面出厦，柱頭飾以獸面，二、三兩層柱頭飾以木雕澤金蟠龍，最上層頂用銅鍍金的筒瓦和板瓦覆蓋，四條垂脊上各有一條鍍金銅龍，中安塔式寶頂，金光閃爍，造型別緻。

佛日樓、梵華樓

　　佛日樓、梵華樓位於寧壽宮後區東路，景福宮之北，緊倚宮牆。這兩棟佛樓是仿建福宮西花園中的吉雲樓和慧曜樓的形式建成的。兩樓毗鄰而各自成院，第二層有簷廊相通，共用一座木欄石樓梯上下相通。樓內供奉着藏傳佛教諸佛的塑像，配以 10 900 尊小佛像，同時還有藏傳佛教黃教的創始人——宗喀巴的塑像，此像神態安詳，形象逼真。樓下陳設着六座高大的琺瑯佛塔，製作精緻，是稀世之寶。

梵華樓佛塔

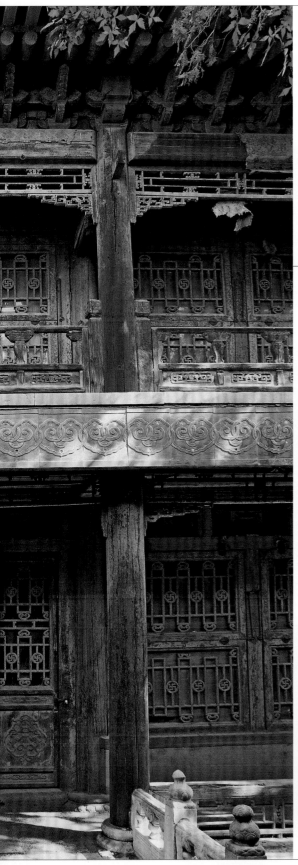

梵華樓外景

梵華樓位於寧壽宮一區的東北隅。面闊七間，
分上下兩層，前出廊，黃琉璃瓦硬山頂。樓室
內保存有眾多的佛塔和佛像。

梵華樓二樓佛龕局部

梵華樓二樓內景

梵華樓二樓供奉的佛像與壁畫

梵華樓一樓供奉的佛像與壁畫

梵華樓內供奉的佛像

梵華樓佛龕內宗喀巴像

梵華樓佛龕內供奉的佛像

咸若館、慈寧宮大佛堂

咸若館在明代初建時稱咸若亭，萬曆十一年（1583）更名。清乾隆年間先後大修、改建，即今所見形制。

慈寧宮後大佛堂，是皇太后瞻拜禮佛、「以申悲悃」的地方。它與慈寧宮面寬一致，建在同一個台基上。當時大佛堂有太監充任喇嘛，每年十二月初五起在堂中唪經二十一天。平時的每月初六，舉行藏傳佛教的宗教儀式，如放「烏卜藏」、唪《金剛經》等。

慈寧宮花園後部的咸若館，東邊的寶相樓，西邊的吉雲樓，後邊的慈

咸若館內佛龕一角

蔭樓，都是供佛之所，供的是三世佛
和救度佛母。先朝的后妃在這裏祝禱
自己延年益壽，挨過殘生，修煉來世。

咸若館明間佛像及五供

咸若館坐北朝南，正殿五間，前出抱廈三間，四周出圍廊。
館內懸清乾隆皇帝御書匾額和楹聯，並陳設龕、案、佛像、
法器、供物等。

慈寧宮花園吉雲樓內佛像

雨花閣

雨花閣在春華門內，是宮中數十座佛堂中最大的一處，係乾隆十四年（1749）仿照西藏阿里古格的托林寺壇城殿，在原有明代建築的基礎上改建而成。雨花閣呈方形，立面分作三層，下面兩層腰簷分別覆以藍、綠琉璃瓦，屋頂則四角攢尖，覆以鎏金銅瓦。四條金光閃閃的巨龍騰躍於脊上，形制之奇特，裝飾之華美，宮中少見。雨花閣內供奉西天梵像，每年四月初八等日，都會派喇嘛在閣內唪經。雨花閣院內的西北角為梵宗樓，供文殊菩薩。雨花閣後的昭福門內原有寶華殿、香雲亭、中正殿等，都是供佛和喇嘛唪經的大型活動之處，於 1923 年被火焚毀。

雨花閣內的壇城

壇城，或稱道場，即大曼荼羅，為佛教密宗祭供諸佛及諸德的一大法門。此壇城建於乾隆二十年（1755），坐落在漢白玉雕花圓座之上，外用硬木做重簷亭式罩，壇城則為嵌絲琺瑯工藝製成，內以「大威德金剛」（文殊菩薩化身）為主尊造像，加之其眷屬（密宗把隨從、其系統稱為眷屬）。壇城建在金剛交杵之上，以紅、黃、藍、白、黑色顯五方，壇城上宮殿幡幢莊嚴，供養着仙樂、飛天仙女等。其下鐵圍山內為八大寒林，即密宗所稱的「八大地獄」。

雨花閣內設三大壇城，依據的是密宗教義常規術語：「六大四曼三密如其次第，配於體相用之三大。」「三密」為密宗所指的身、意、口，配於體（身體）、相（形象）、用（使用），雨花閣壇城就是三密圓滿具足的體現。

雨花閣內壇城局部

雨花閣外觀三層，實際是設有四層的樓閣式建築，為「明三暗四」的格局。安置壇城的一層稱智行層，在一、二層之間靠北部設有暗層，稱德行層，供奉行部佛像九尊。

雨花閣二樓內景

雨花閣二樓樓梯間

此層供奉行德品佛應念行德品內宏光顯耀菩提佛眼佛
母無我佛母白衣佛母藍救度佛母顯行手持金剛伏魔手持
金剛藍摧碎金剛白馬頭金剛無量壽佛等經

英華殿

英華殿在壽安宮之北，創建於明代，康熙二十八年（1689）和乾隆二十七年（1762）重修。殿前的英華門東西兩翼有琉璃鶴照壁，姿態生動，為明代遺物。殿內供五蓮菩薩，明代皇太后和皇后都在這裏行禮拜佛。

英華殿殿內原供西番佛像。殿面闊五間，進深三間，單簷黃琉璃瓦廡殿頂。英華殿前長有菩提樹，又名畢缽羅。樹根深葉茂，枝葉婆娑，下垂着地。盛夏開花呈金黃色，深秋結子可做唸珠，葉經加工可精製成佛教用品。

菩提子做成的手串

菩提樹葉上繪製的佛教人物畫

菩提樹葉上寫的經文

英華殿內供奉的佛像

欽安殿

　　欽安殿在御花園正中天一門內，御花園的中心，為明代所建，面闊五間，重簷盝頂，上安鎏金寶頂，形制奇特。台基石欄及御路雕刻極為精美，顯示了明代精湛的建築工藝成就。殿的四周有平矮的圍牆。帶琉璃照壁的天一門前列有金麒麟、花石，院內植以古柏修竹。殿內祀道教的玄天上帝。明、清時每年立春、立夏、立秋、立冬之日，架起供案，奉安神牌，皇帝前來拈香行禮。每年年節和八月初六到十八日為「天祭」，在宮

中的玄穹寶殿和這裏各設道
場，道官道眾設醮稱表。

欽安殿前東側焚帛爐

欽安殿旗杆座

欽安殿外景

欽安殿的殿基為須彌座式的石台，前正中
雕刻雲龍石陛，台上周邊有極精緻的漢白
玉龍鳳圖案欄杆，都是明代遺物。

御花園欽安殿內玄天上帝像、法物及供品

書房、藏書樓

紫禁城內主要用於藏書、閱覽的建築物有文淵閣、摛藻堂、昭仁殿、上書房、葆中殿、味餘書室和知不足齋等。它們各有用途，佈置和建造情況也各具特色。

明代的文淵閣建於文華殿前，用作貯藏宋元版舊籍，其中包括永樂十九年（1421）自南京皇宮文淵閣運來的 10 船 100 櫃古籍，另外還有當朝《永樂大典》的正本 11 095 冊。

上書房在乾清門內。門兩側北向各有一排廡房，東為上書房，西為南書房。上書房是皇子皇孫讀書的書屋，南書房是翰林大學士侍奉之處。其西北，月華門北側的懋勤殿，廣

《永樂大典》書影

文淵閣外景

藏典籍，實為上書房、南書房的「書庫」。地設乾清宮前，以便皇帝日常「稽察」。

重華宮原是乾東五所的一所，是清高宗為皇太子時的住所，高宗即位後，升格為宮。宮的東配房名葆中殿，額為「古香齋」；西配房名浴德

殿，額為「抑齋」。據《日下舊聞考》載：「凡園亭行館，有可靜憩觀書者，率以抑齋為名額。」由此可知，這裏原是清高宗的讀書處。

毓慶宮原是嘉慶帝為皇太子時居所。宮中的味餘書室和知不足齋都是他舊日讀書之處。「宛委別藏」則是

嘉慶年間收藏四庫別本的地方。

另外，東華門北的國史館、文華殿前的內閣大庫、西華門內武英殿前後用房、東六宮的景陽宮，也都藏有大量的歷代冊籍，只是所貯書籍的內容、規模、用途不同而已。

文淵閣

清代的文淵閣建於乾隆三十九年（1774），歇山頂，閣高兩層，面闊六間，進深三間，前後出廊。閣內藏有《四庫全書》等重要典籍。

文淵閣

　　乾隆三十九年（1774），在文華殿後明代的聖濟殿（祀先醫之所）舊址上另建文淵閣。乾隆四十一年（1776）建成後，同文華殿相連，成為外朝的一個組成部分。

　　文淵閣的環境經過周密的佈置，閣後及西側以太湖石疊堆綿延小山，植有蒼松翠柏。閣東有一座四脊攢尖的方形碑亭，脊似駝峰，翼角反翹，仿江南建築物形式。亭中矗立隆碑，上鐫清高宗弘曆撰寫的《文淵閣碑記》。閣前鑿有長方形水池，圍以白石欄杆，欄板上飾有水族圖案。池中引入內金水河河水，池上架有白石拱橋，人行甬道均以卵石和片石鋪砌，造就一種幽雅的庭園氣氛。

　　文淵閣的裝修裝飾同庭院的氣氛也很協調。台基用城磚疊砌，上鋪條石。平直的城牆為清水磨磚絲縫，前簷廊的兩山各有券門，帶有綠琉璃垂花門罩。彩畫以冷色為主，立柱都用深綠色油漆。柱間下有回紋木欄杆，上有倒掛楣子。枋額繪有「河馬負圖」、「翰墨冊卷」等題材的蘇式彩畫。

文淵閣前石橋側景

閣頂正脊，綠色琉璃作襯底，紫色遊龍騰越其間，再鑲以白色線條的花琉璃。用這樣幾種冷色琉璃互相搭配，在紫禁城建築中是十分獨特的。

文淵閣的構造，參照浙江寧波天一閣的形式，閣長 34.7 米，進深三間，底層前後均出簷廊，共深 17.4 米。其外觀為兩層，而內部實為三層，即利用上層樓板下的空間，聯以迴廊，作為中層，擴大了使用面積。

浙江寧波天一閣

建於明嘉靖四十年至四十五年（1561—1566），由當時退隱的兵部右侍郎范欽主持建造，是我國現存歷史最悠久的私家藏書樓。閣內原有藏書大部分是明代刻本和抄本。

文淵閣前廊券門

閣前廊東西兩山各闢一座白石券門，上配以綠色琉璃垂蓮柱式的門罩，與灰色水磨絲縫的磚牆相襯，色調明快整潔。

文淵閣碑亭

文淵閣東側有一碑亭，與閣同時建造。亭內有高大石碑一通，鑴刻有乾隆帝撰寫的《文淵閣碑記》，背面是文淵閣賜筵御製詩。

文淵閣內貯藏清代乾隆三十七年至四十七年（1772—1782）編成的《四庫全書》一套，共計 79 030 卷，分裝 36 000 冊，納為 6 750 函。

另外還藏有《四庫全書總目考證》及《古今圖書集成》。這些書分別貯藏於楠木小箱中，安置在上、中、下三層的書架上。在上下層正中明間，

均用書架間隔成廣廳，中央置「御榻」，供皇帝在閣內舉行經筵時使用。

《四庫全書》成書後，共繕寫七份，分藏於宮內文淵閣、圓明園文源

閣、承德避暑山莊文津閣、瀋陽故宮
文溯閣、江蘇揚州文匯閣、鎮江金山
文宗閣、浙江杭州文瀾閣，其中以文
淵閣藏本為最精。

《四庫全書》書影

《四庫全書》全稱《欽定四庫全書》，是清代乾隆時期編修的大型叢
書，耗時十餘年編成。分經、史、子、集四部，故名「四庫」。《四
庫全書》是中國古代最大的文化工程，對中國古典文化進行了一次
系統、全面的總結，呈現出了中國古典文化的知識體系。

文淵閣蘇式彩畫小樣

文淵閣內書樓和書架

文淵閣內寶座

文淵閣室內以書架為間壁，中央三間形如廣廳。
當中設寶座，即昔日經筵賜茶處。

摛藻堂、昭仁殿

摛藻堂面閣五間，前簷出廊，上覆黃琉璃瓦，硬山頂，坐落在御花園欽安殿的東側。它北靠宮牆，南臨池亭，西有凝香亭。摛藻堂裏，排貯《四庫全書薈要》，那是乾隆年間特命編纂諸臣選擇《四庫全書》中的精本錄薈成的。當時繕就兩套，摛藻堂裏貯一套，另一套貯於圓明園長春園味腴書室。味腴書室的一套於咸豐十年（1860）為英法聯軍焚毀。

昭仁殿在乾清宮東側，四周有牆，自成一院。主殿面闊三間，前帶懸山捲棚抱廈。乾隆九年（1744）和嘉慶二年（1797），二次詔編宮內所存宋、遼、金、元、明各朝舊版秘笈

昭仁殿外景

昭仁殿是乾清宮的冬暖殿。乾隆年間利用這座殿宇貯宋、元、明時代的善本圖書。清嘉慶二年（1797）失火，藏書全毀。同年重建昭仁殿，又集中藏了一部分古代善本書，稱《天祿琳琅後編》。

藏於此殿。取漢宮藏書於天祿閣的故
事而題匾「天祿琳琅」掛於殿內。殿
之後，西室有匾為「慎儉德」，再後
西室有匾為「五經萃室」，匯貯宋刻
五經九十卷。

擷藻堂外景

擷藻堂位於御花園的東北隅，
在浮碧亭迤北。

衙署及其他

　　紫禁城裏,皇帝為便於行使統治國家的權力,設有許許多多直接為之服務的衙署、守衛值房和貯庫等。這些建築物的特點是建築制度級別低下,外形較為簡單,一般處在離外朝、內廷較遠的地方。即使安排在三宮三殿附近,也只能佔用輔助位置,如廊廡、配房等,其位置是根據它們的使用功能確定的。這些衙署按部門分,主要有內閣、軍機處、九卿房、蒙古王公值房和內務府等。

茶庫值房

　　內閣是明清兩代設置宮中以輔佐皇帝辦理國家政事的機構,主要是草擬和轉達皇帝詔令,批閱和進呈官員的奏章文書。內閣用房按職掌分設在不同地段的建築物中。

　　內閣公署設在午門內太和門前廣場的東側,由協和門和兩旁的二十二間廡廊組成,其中設有誥敕房和稽察房。

其他內閣用房集中在文華殿之南的院落中。正房是內閣大堂，堂內東廂為漢票簽處、侍讀擬寫草簽處、中書繕寫真簽處和收貯本章檔案處；西廂為蒙古堂，專門翻譯蒙、藏、回等民族文字和外國文字，以及管理蒙文實錄、聖訓等。西屋為滿本房，校閱滿文題本，繕寫滿文文件，收發進呈實錄，管理實錄庫及皇史宬；東屋為漢本房，收發通本，翻譯各項滿文本單等。

內閣堂後的屋內設有滿票簽處、滿票簽檔子房、稽察房和典籍廳，還設有中堂齋宿之所。其中典籍廳又分為南、北二廳，南廳收掌典籍廳大印，收發辦理文稿及官員考績等；北廳收掌國家寶璽和章奏，收藏紅本圖籍。

內閣大庫包括紅本庫和實錄庫，都在內閣堂之東，是兩棟磚木結構的二層庫房，共二十二間。為避外火，以磚為表，不露木植。庫內樓上樓下貯有明、清各種文檔、輿圖、卷案及大量史書等冊籍。它們北面的國史館貯有實錄、會典等。

內閣大堂外景

內閣大堂位於紫禁城東南側文華殿迤南，緊臨城牆。堂面闊三間，進深一間，帶前後廊，硬山造，黃琉璃瓦頂。清代的內閣是輔佐皇帝辦理國家大事的機構，內閣大堂是內閣官員辦事的地方。

軍機處

　　軍機處曾有「辦理軍機事務處」「總理處」等名稱，其值房位於乾清門外、隆宗門內，在北面一排連房的中間，其西為內務府大臣辦事處，東為侍衛值房。軍機處建築簡單，與一般值房並無差異，但從雍正七年（1729）設立，到宣統三年（1911）設立責任內閣為止的一百八十多年間，一直是清廷的權力中樞。

　　雍正七年，為了應付西北准噶爾部的叛亂，雍正皇帝特別揀選一些最為親信的滿、漢大臣為軍機大臣，在乾清門西邊小板房入值。這裏距養心殿很近，方便皇帝隨時召見議事。其性質原是內閣分局，是一個臨時性參謀部，後來隨着許多機密政務都由內閣轉到軍機處辦理，一切政事都由軍機大臣通過內奏書處進呈皇帝。軍機

軍機處內景局部

軍機章京值房外景

軍機處

軍機處值房不僅外形卑小，內部陳設也非常簡陋，除椅桌外，別無他物。值房南壁上有雍正七年雍正帝御書的「一堂和氣」匾一方；咸豐時太平天國運動被鎮壓後，咸豐帝寫了「喜報紅旌」匾一方作慶祝，掛在東壁。

處所管理的事也不再限於軍事，而是掌握全國的軍政要務，地位逐漸變得重要、突出，成為朝廷的中樞機構。軍機處小板房也在乾隆時代擴建成現狀的瓦房。

每次軍功告成之後，都會由軍機處的軍機章京纂輯方略，存入武英殿之北的方略館內。此外，午門內西廡二十二間中的翻書房（負責諭旨、敕文、御製詩文、起居注等的滿漢文互譯），也屬軍機處所轄。

軍機墊

軍機處外景

其他

清代皇帝在乾清門「御門聽政」或在內廷召見官員時，九卿衙門的主要官員 —— 吏、戶、禮、兵、刑、工等六部尚書，都察院的左都御史，大理寺的大理寺卿，通政使司的通政使，都在乾清門外的九卿房值候。蒙古的貝勒、貝子、王公須在蒙古王公值房值候。

九卿房在景運門內北側，蒙古王公值房在景運門內南側。這裏與隆宗門裏的軍機處雖然相距不遠，卻不准到軍機處去同軍機大臣攀談，違者重處不赦。

宮內膳房甚多，其中最大的是箭亭東的外膳房。養心殿南有御膳房，專做皇帝用膳、各宮饌品及各處供獻節令宴席。東西六宮及太后宮，另有小膳房。

九卿房外景

蒙古王公值房外景

箭亭建在景運門外的廣場上。廣五間，周圍帶廊，上覆歇山屋頂，為武進士殿試閱技勇之處。在奉先殿誠肅門外及養心殿北的啟祥門等處都建有侍衛值房，立旗守護。太監總管住在坤寧宮北的靜憩齋中。

宮中有關機構

內務府公署設在西華門內、武英殿北，掌管宮廷內務一切事宜，又設奉宸苑、武備院、都虞司、慎刑司、營造司和慶豐司。其中同宮中有關的機構分述如右表。

箭亭

箭亭位於奉先殿南面的一片開闊平地上，又名紫金箭亭，是清代皇帝及其子孫練習騎馬射箭的地方。箭亭雖然名為「亭」，實質上是一座獨立的殿堂。其亭角微翹，房脊成人字形墁坡，二十根朱漆大柱承托迴廊屋架，減少了中國古代建築中特有的斗拱重疊的層次，是清代少有的建築形式。乾隆帝和嘉慶帝都曾在這裏射過箭，操演過武藝。每當皇帝及其子孫在這裏跑馬射箭時，亭前擺起箭靶，八扇大門全部打開，人站在亭內開弓放箭，列隊兩邊的武士搖旗擂鼓助威，情景熱鬧。

啟祥門正面

箭亭外景

武備院	管轄四庫：甲庫，專管盔甲刀等器械，設在體仁閣南的八間廡房裏；氈庫，專管弓箭靴鞋氈條等，設在昭德門內東西十一間廡房裏；北鞍庫，專管皇帝用的鞍韂、傘蓋、賬房、涼棚等，設在左翼門內南北各四間廡房和體仁閣四間南廡房裏；南鞍庫，專管宮用的等物，設在昭德門東的角樓裏。
上駟院	曾名「御馬監」，設在東華門內南三所之南，管理皇帝乘坐的御馬。馬廄就建在院署之旁，兼管南苑內廄。在紫禁城的西北角，有馬神廟，每年春秋為皇帝所乘坐的馬匹祀馬神。
廣儲司	當管六庫：銀庫、緞庫、衣庫、茶庫、皮庫和瓷庫。銀庫設在太和殿西弘義閣裏；銅器存在中和殿西廡房裏；自鳴鐘和御用冠服、朝珠存在乾清宮東的端凝殿裏；緞庫設在太和殿東體仁閣及中右門外的西廡房裏；衣庫設在弘義閣南的廡房裏。北五所敬事房之東有四執庫，也管理御用的冠袍、帶履等物。武英殿西的尚衣監，是製作御服之所。茶庫設在太和門內西廡房和中左門內的東廡房裏，東六宮之東也專設有茶庫及緞庫。乾清宮東廡設有御茶房；皮庫設在太和殿前的西南崇樓和保和殿東廡房裏；瓷庫設在太和殿前西廡及武英殿之西。
太醫院	設在東華門北側，專為皇帝看病。院旁有御茶房。另外端則門南與北五所的敬事房之西，還有壽藥房。

建築結構與裝飾

3

台基、欄杆

我國木構建築中，台基、屋身和屋頂為房屋的三個主要組成部分。商周以來，在宮殿建築中，台基的發展是極為突出的。戰國時各地諸侯以宮室的高台榭為美，台基日趨講究。高台周圍需設欄杆，因此台基與欄杆連為一體。而在最高等級的建築裏，把佛教中象徵世界中心的須彌山的佛像基座——須彌座移植到房屋的台基上，更增加了建築的神聖與莊嚴感。北宋的《營造法式》裏也有「重台鈎闌」的做法。

祈年殿

明代建築對台基的設計極為考究。永樂年間修建的三座最高等級的建築物——紫禁城奉天殿（今太和殿）、天壇祈年殿和長陵祾恩殿都是以三重白石台基、須彌座加欄杆為基座，使建築物造型莊嚴、比例得當，更顯得宏偉壯麗。這一成就發展了中國建築台基的功能，把整座建築造型推向了一個新的高度。不難想像，如果奉天殿、祈年殿和祾恩殿這三座建築捨去下部的三重基座，是無法達到今天我們所能見到的這種莊嚴雄偉的藝術效果的。而在同樣採用三重台基欄杆的做法中，又按建築本身的造型

佈局及功能要求的不同，分別採用圓形（祈年殿）、矩形（裬恩殿）和「工」字形（奉天殿）三種不同的平面處理方式，顯得各有特色。奉天殿的一組建築把前後三個建築物統一處理在一個高大的「工」字形基座之上，更突出了帝王至高無上的氣勢。

三重台基欄杆的做法在中國古建築來說是極個別的。一般重要殿堂多用單層須彌座上圍白石欄杆作為建築的台基，如故宮的太和門、乾清門、寧壽門、乾清宮、皇極殿前部、欽安殿、奉先殿、武英門、武英殿、英華門及英華殿等，其殿前多設月台，欄杆望柱下挑出螭首。

重台鈎闌

重台鈎闌又名「重台勾闌」，是宋式欄杆的一種，主要特點是有上下兩層，皆有華板，所以又稱為「重台鈎闌」。關於重台鈎欄的形制，在《營造法式》中也有較清楚的規定：每段高 4 尺，長 7 尺，華板上雕刻有精美的花紋，非常漂亮而顯華貴。

前朝三大殿三台及漢白玉欄杆

御路

　　宮殿前踏垛的中間，隨着踏垛坡度斜鋪着巨石雕刻，稱為「御路」。

太和殿前御路局部

太和殿月台前三台
流雲龍階石御路

太和門前內金水橋御路

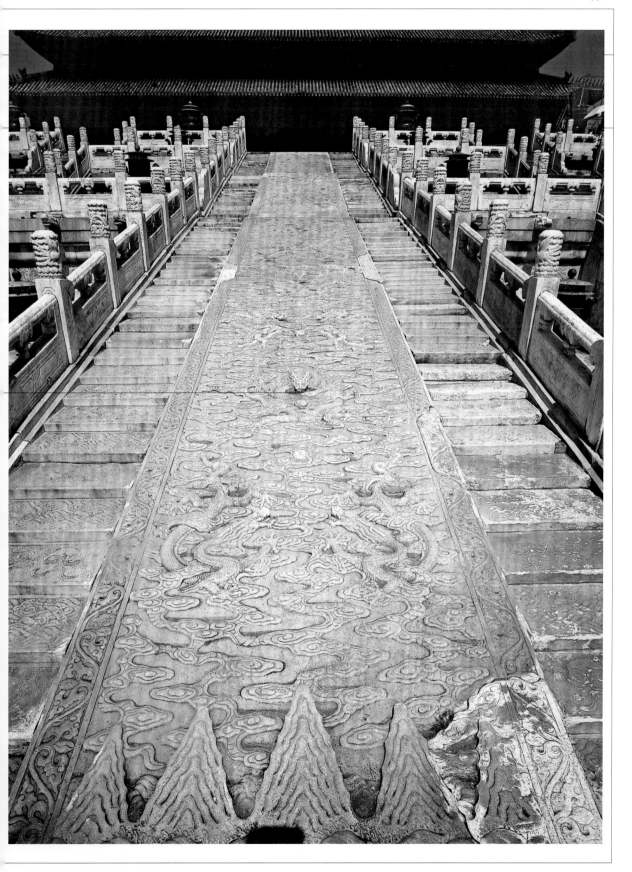

三台前後的御路各有三大塊，保和殿後三台下面一塊御路石長達 16.57 米，寬 3.07 米，是一塊完整的巨大艾葉青石雕。石質柔韌，雕刻精絕。周邊是連續的淺浮雕捲草圖案，上面雕着雲氣紋，下端是海水江涯，中間九條蟠龍襯托在流雲中，神態自然，雄健生動。兩側踏跺浮雕着獅馬等圖案，主次分明。此御路用材之巨，雕鑿之精，造質之佳，以及藝術處理之妙，堪稱古建石雕藝術的國寶。

乾清宮月台前石雕錦紋百花襯底蟠龍御路

皇極殿月台前石雕錦紋白花襯底蟠龍御路

承乾宮前石雕雙鳳紋御路

保和殿後三台下部雲龍雕石御路

太極殿前石雕雙龍御路

養性殿前石雕水紋雙龍御路

欄杆

　　欄杆由欄板和望柱兩部分組成，置於台基之上。欄板由尋杖、荷葉淨瓶、華板三部分組成，其中花紋變化較多的是華板部分，刻有海棠線紋、竹紋、水族動物、方勝、夔龍等圖案。

　　欽安殿更具特點的是穿花龍華版，其中心部位是兩條行龍，一條在追逐火焰寶珠，另一條在前面回首相戲，鬚髮飄動，鱗爪飛舞，神態活現。龍的襯底是各種花卉，每塊欄板的花紋組織又各不相同，欄板周邊是統一的二方連續圖案，其下是錦地，上邊為捲草紋，整個畫面組織得極為和諧。

清式鉤欄示意圖

御花園萬春亭方勝紋欄杆

文淵閣前水池雕水紋及水族動物欄杆

太和殿前三台石欄杆

欽安殿台基上雙龍戲珠水紋欄杆

《營造法式》內的鈎欄華板

寧壽宮花園露台的石雕欄杆

皇極殿前月台石欄杆

欽安殿穿花龍欄杆

太和殿前三台螭首　　　　　　　　　　　　　　寧壽宮花園碧螺亭梅花形柱礎

	甲	乙	丙	丁	戊	己
上	29	37.5	13	47	8	22
中	29	36	14	48	6	23
下	29	36	16	60	6.5	27.5

太和殿三層螭首比較表

	甲	乙	丙	丁	戊	己	庚	辛
上	60	22	22	92	88	106	57	54
中	72	20	24	104	87	140	75	62
下	79	26	27	120	100	162	82	74

太和殿三層角部螭首比較表

太和殿欄板花飾圖　　單位：米

欽安殿穿花龍紋樣抱鼓石

寧壽宮花園禊賞亭石雕竹紋欄杆

皇極殿清式抱鼓石

望柱頭

　　望柱頭的圖案裝飾，隨着使用功能要求的不同而有變化。三大殿是皇宮的中心部位，也是皇權的象徵，因此作為它的台基的三台欄杆的望柱頭，全都採用龍鳳紋圖案。三大殿四隅崇樓的欄杆由於建築物本身地位次要，其望柱頭上的紋飾也就採用較次要的二十四氣的圖案。花園中的亭、台、樓、閣，周圍所用欄杆的望柱頭的圖案是石榴頭、雲頭、仰覆蓮、竹節紋。武英殿東斷虹橋兩側的石欄杆的望柱頭的雕刻最突出，望柱

欽安殿龍紋望柱頭

欽安殿鳳紋望柱頭

太和殿龍紋望柱頭

頭成荷葉狀，葉邊翻轉折疊，生動自然。荷葉上是盛開的蓮花，有三層花瓣，包着蓮蓬。頂上雕有獅子，姿態各異，雌雄有別，有的昂首挺胸，正襟端坐；有的側身轉首，迴環四顧；雄獅戲耍繡球，母獅撫弄幼子。那些小獅，大的高度只有 10 釐米，小的高度僅幾釐米。它們在母獅身旁爬、翻、滾、伏，有如小兒撒嬌，極為生動。這是紫禁城宮殿保存下來的望柱頭中的佳品。

神武門海石榴望柱頭

御花園澄瑞亭蕉葉形望柱頭

協和門前二十四氣望柱頭

欄杆只用火炬形陰刻弧形線的望柱頭，名「二十四氣」。

斷虹橋獅子望柱頭

文淵閣前水池欄杆仰俯蓮瓣紋望柱頭

樑架

紫禁城宮殿中各類形式的殿堂樓閣，在外觀上各具獨特的藝術風格，這與建築的內部構架是分不開的。

中國木構架體系發展到明代，宮式建築已經高度標準化、定型化、規格化。紫禁城宮殿是工部直接營建的，因此它更是當時工程的典範，是宮式做法的代表。木構架有抬樑、穿斗、井幹三種不同的結構方式，抬樑式構排架使用最為普遍，紫禁城的房屋也都是採用這種方法。

角樓角樑後尾

一般木構架是沿着房屋的進深方向，在石柱基礎上立柱，柱上架樑，樑上再置爪柱，柱上再架樑，逐層縮短，層層疊架，形成屋面的坡度，所以這種做法稱為抬樑法，也稱疊架法。在排架之間，用橫向的枋子聯繫脊爪柱的上端，並在各層樑頭和脊爪柱上安裝與排架相交的檁條，然後檁上釘椽承托屋面荷重，組成縱橫牽連的構架。

角樓抱廈大木結構

鍾粹宮樑架模型

鍾粹宮外景

後右門樑架結構

隆宗門樑架結構

昭德門樑架結構

太和門內樑架

後右門樑架結構

暢音閣後扮戲樓屋頂樑架結構（樑子繪八卦圖）

皇極殿雕龍渾金雀替

雀替是中國建築中的特殊名稱，安置於樑或闌額與柱交接處承托樑枋的木構件，可以縮短樑枋的淨跨距離。也用在柱間的掛落下，或為純裝飾性構件。在一定程度上，增加樑頭抗剪能力或減少樑枋間的跨距。宋代稱「角替」，清代稱為「雀替」，又稱為「插角」或「托木」。

太和殿大小額枋及雀替

硬山頂、懸山頂、廡殿頂

　　宮殿建築的屋頂形式多樣，其複雜的部位多在兩端。如把兩端的磚牆砌成與瓦頂坡度相同，從側面看，形如「山」形的牆壁，稱為硬山頂。紫禁城中低等級的房屋如耳房、廊廡，甚至內閣大堂的屋頂，都屬此類型。

　　比硬山頂稍高一級的房屋是懸山頂。它是把房屋兩端的檁條挑出，上覆椽、望、瓦頂。在紫禁城主要庭院中，如文華、武英殿的配殿，神武門東西值房，西華門內外值房，多用這種形式的屋頂。

　　高級的房屋為廡殿式。是把屋頂做成向四面流水的四大坡，由於四面都是圓和的曲面，所以宋、元以前把這種形式稱為四阿式或四注頂。新石器時代的仰韶文化（陝西寶雞金河南岸遺址發掘中）就有這種形式的草棚。室內中央有兩根支柱，構造雖簡陋，但從造型來看，它是雄偉殿堂的雛形。中國現存廡殿頂的最早大殿——

單簷廡殿頂

重簷廡殿頂

懸山頂

滴水坐中

博縫

捲棚排山勾滴

饊簷　磚
上線　磚
梟混　磚
下線　磚

硬山墀頭及博縫
保和殿　西庫房　實測　琉璃

山西省佛光寺大殿，是唐代四阿頂的代表作。但是這種類型的建築莊嚴有餘而富麗不足，所以紫禁城的最主要宮殿並未使用這種單簷殿頂，只有英華殿、景陽宮、咸福宮的前殿、奉先殿後殿、承光門以及體仁閣、弘義閣一類較次等級的建築才採用此種形式。

為了給莊嚴隆重的廡殿式增加富麗氣氛，在四阿頂的下面增加一層腰簷，稱為重簷廡殿頂。這類型的建築等級最高，在紫禁城中只有外朝的太和殿、內廷的乾清宮、坤寧宮與家廟奉先殿、太上皇的皇極殿以及紫禁城的四面城樓為這種形式。

山西省佛光寺大殿外景

清式屋頂琉璃作示意圖

琉璃通分八樣，每樣有標準尺寸，按柱高十分之四定吻高，然後用高度相符或相近之吻定樣數，本圖製圖按三樣琉璃尺寸繪製。歇山垂脊前之垂獸位於挑簷桁上，廡殿垂脊前之垂獸位於正心桁上。帽釘路數二樣至四樣，每壟三路，五樣二路，六樣以下每壟一路。

硬山頂

歇山頂

比廡殿頂略低一級的是歇山頂。它是懸山頂和廡殿頂的結合形式。這種屋頂的上部，兩端用山花博縫如同懸山頂，但其簷部為四坡水，由於它的兩端比懸山頂增加了兩廈，所以在宋以前稱「廈兩頭造」；又由於它的上部有正脊與四垂脊，簷部有四條岔脊（角脊），共計九條脊，所以又稱九脊殿。直到清代雍正十二年（1734）擬定《工程做法》時，才按房山坐在廈頭的情況稱為歇山頂。其構造多是用扒樑法承托「踩步金」，踩步金承載兩山的椿椽，椽上臥踏腳木，立草架山花，形成歇山頂兩端的骨架。

這種形式的屋頂玲瓏、富麗、莊嚴、美觀。紫禁城的多數殿、閣、門、樓都採用這種形式。東西六宮的多數前殿也是歇山頂。踩步金有如樑或檁的做法：當椽後尾入槽，又似承椽枋，枋下又有踩步金枋做法，上下都在同一縫。

歇山頂也有重簷的做法，稱重簷歇山頂，多用於高大的殿閣，如天安門、端門、太和門、保和殿、寧壽宮、

慈寧宮等。重簷的做法有多種構造，一般是在下簷大樑上再立接短柱（叫作童柱），以支承上簷樑枋，然後按逐層疊架的方法，做出構架，並按單簷歇山的構造做出廈頭和山花。

歇山式的屋頂，在西漢已有了雛形，不過最初是在懸山頂下的山牆上挑出一面廈子，猶如一坡水的雨搭棚，兩個頂子瓦廡牽聯，到東漢時才把兩者結合成一體，形成九脊殿的形式。現存最古的木構建築唐代建中三年（782）的南禪寺正殿，便是歇山頂的最古實例。宋朝的歇山頂建築很多，宋畫中的《黃鶴樓》及《明皇避暑圖》中的「十字顯山」屋頂，就是兩個歇山頂縱橫相交的造型，顯得玲瓏秀麗。由於歇山頂的山面很美，有的建築把歇山頂的山面轉向前，如北宋皇祐四年（1052）的河北正定隆興寺牟尼殿的四面抱廈，頗為別緻。紫禁城的角樓，就是模仿宋畫與元大內宮牆的「十」字脊四面顯山三趬樓建造的。

保和殿重簷歇山頂

宋畫《黃鶴樓》

重簷歇山頂

攢尖頂、盝頂、捲棚頂

紫禁城角樓是用六個歇山頂勾連組合為一個整體。三層屋簷計有二十八個翼角、十面山花、七十二條脊（不包括脊後掩斷的十條脊）。特別難得的是室內整齊利落，沒有一根落地柱子，室外不見樑頭，造型玲瓏而莊重，簷牙交錯而統一。傳說當年營建角樓時，由於設計難度很大，設計者雖廢寢忘食地去構想，也難合乎理想。這情形感動了魯班下凡，手提一個蟈蟈籠到他面前。這並非一般的蟈蟈籠，而是設計者渴望的角樓模型，後來就依照這個模型，設計施工，才有角樓這奇異的建築成果。這個故事雖然是神話，但它反映了角樓的設計難度與用模型設計的優點。

此外，紫禁城中還有許多類型的屋頂，花園中的凝香、玉翠、御景、聳秀、擷芳等亭為小巧玲瓏的四角攢尖頂，作為庭園的配景；還有用在主要殿閣之上的，如中軸線上的中和殿和交泰殿，在攢尖頂上覆以鍍金圓寶頂，象徵天圓地方之意。乾隆花園的主要建築符望閣，為高大樓閣，其屋頂也是這種類型。四角攢尖也有用重簷的做法，以增加其富麗感，如建福宮軸線上的惠風亭、午門四角亭就是

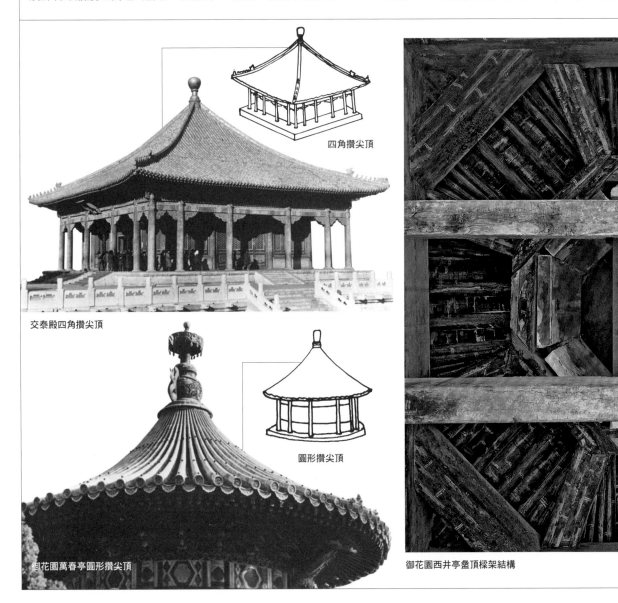

四角攢尖頂

交泰殿四角攢尖頂

圓形攢尖頂

御花園萬春亭圓形攢尖頂

御花園西井亭盝頂樑架結構

這種類型。乾隆花園碧螺亭為五角攢尖頂；奉先殿宰牲亭為六角攢尖頂；御花園四神祠為八角攢尖的勾連搭頂；千秋、萬春亭的上頂為圓攢尖頂；文淵閣碑亭為形似古代將軍盔狀的盔頂；井亭的屋頂多是四周瓦中心留洞，上頂露天的瓦頂。又有外形輪廓形似古代存放印璽的匵匣「盝」，所以把這種屋頂叫作「盝頂」。紫禁城

御花園的主殿欽安殿和元大內的「盝頂殿」都屬於這種類型，但由於屋頂的圍脊內做成微帶坡度的平頂，並施重簷，而成為大殿的類型之一。

紫禁城的盝頂構架中，有一座小巧玲瓏的井亭，下架為四方形的平面，在四根柱子的頂上承托着兩端懸挑的「扁擔樑」。由於其方向為抹角的斜樑，於是四根斜樑與簷檁搭交，

形成八角形的盝頂，從兩頭懸空的簷檁來看，猶如橫臥在扁擔兩頭自由端點之上。使人驚奇的是，在未宽瓦之前，是不太穩固的，但是加上宽瓦後的屋頂重量，則穩如泰山。這個井亭雖歷五百年而無甚變化，尤其近些年雖經多次地震，也無任何毀損，全由於設計中充分掌握了力的平衡原理，以及施工時的膽大心細所致。

盝頂

御花園欽安殿重簷盝頂

捲棚頂

鍾粹門內捲棚頂

斗拱

中國古代木構架建築在發展過程中，利用懸挑樑的槓桿作用，創造出以方形坐斗為墊承托橫木，上再置方斗，逐層疊挑，承托樑檁的辦法。由於方形的墊塊形似量器中的斗，橫木兩端抹角做成弓形的拱木，因而把這組構件叫作斗拱。

山西省晉祠聖母殿宋式斗拱

斗拱的起源很早。出土的東周文物中已有了一斗二升斗拱的先例。漢朝的斗拱運用發展很快，不僅在木構架上用斗拱承托屋簷與樓閣的平座（古代樓閣中把周圈挑出的陽台叫作平座），而且東漢時的石闕、石墓上也廣泛應用了斗拱。唐代斗拱已向縱深發展，用多層槓狀的桿件挑出深遠的屋簷，斗拱規模雄大。宋以後斗拱逐漸縮小，到了明、清兩代，建築的開間增大，每間的斗拱則數量增多。

一座木構建築的結構桿件，少則百十件，多則上千件，要把這些桿件組合成一體，一般是用榫卯結合的方法。但殿式大小木除用桿件間的榫卯

直接結合外，還增加以斗拱作為過渡傳力的間接結合。這種結合方式等於增加了樑托，擴大結點的接觸面積，增加了構架的抗彎、抗剪、抗壓和抗震功能。

鍾粹宮柱頭科及平身科斗拱模型

鍾粹宮角科斗拱模型

太極殿平身科斗拱後尾

溜金斗拱

太和殿的正中一間，在兩柱之間的斗拱達八攢之多，上下兩層簷都是溜金斗拱。這種斗拱從等級制度來說是最高級的類型，其特點是在後尾有較長的秤桿與鄰近的內部勾連，加強了構件的整體性。

根據挑出的層數，斗拱有多種規格，使用時根據殿閣的大小、等級的高低而定。高大殿閣的斗拱也多高大繁複，出挑的層次也多。太和殿的下簷斗拱挑出四層（高為九材），上簷斗拱挑出五層（高為十一材），是斗拱中挑出層次最多的孤例。一般殿堂的斗拱挑出層次較少，配房廊廡如神武門值房、儲秀宮配房等多不做挑出的一斗三升斗拱。這樣的安排，不僅造型的權衡比例很合宜，而且在力學上也較合理。因為大殿的屋頂面積大，出簷大，斗拱的荷重大，所以用功能強、探挑層次多、彈性好、出挑多的斗拱；而廊廡的斗拱負荷小，出簷小，所以有不同的安排。

上簷斗拱平面

上簷斗拱立面

下簷斗拱立面

下簷斗拱平面

斗拱橫斷面

乾清宮斗拱細部　　單位：米

太和殿一層溜金斗拱殿內部分

挑金

桁椀後帶夔龍尾
撐頭木後帶秤桿
螞蚱頭後起秤帶舉六分頭
昂後帶舉六分頭接菊花頭
菊花頭
三福雲頭
麻葉頭
覆蓮梢頭

清式五踩溜金斗科

神武門溜金斗拱角科後尾

太和殿溜金斗拱

「品」字斗拱、平身科斗拱、挑金斗拱

　　斗拱的佈置，一般都安放在房屋周圍的簷柱、額枋、平板枋上。大型殿閣還在房屋的簷下佈置周圈斗拱。這種斗拱的形狀是裏外兩端對稱，從側面看猶如逐層疊鋪的「品」字。古建中把這種對稱懸挑、左右均齊的斗

拱稱為「品」字斗拱，其作用除支承上架樑柱與天花外，還起到上下大木構件的彈性結點作用。

　　斗拱在樑枋之間，其功能猶如現在車輛所採用的鋼板彈簧弓。雖然用材不同，但層層疊挑的原理是一樣

的。尤其把木材做成許多小木枋，更增加了彈性作用。因此太和殿的屋頂重量雖達兩千餘噸，屋脊與地面的距離為 35.05 米，脊上還豎有兩件 3.4 米高、4.3 噸重的大吻，但在大地震的強烈搖晃中並未被甩掉，反而有些

清式五踩平身斗科　單位：米

側視圖　正視圖　仰視圖

1. 坐斗　2. 十八斗　3. 三才升　4. 槽升子　5. 正心瓜拱　6. 正心萬拱　7. 外拽瓜拱　8. 外拽萬拱　9. 裏拽瓜拱　10. 裏拽萬拱　11. 廂拱　12. 翹　13. 昂　14. 螞蚱頭　15. 菊花頭　16. 六分頭　17. 麻葉頭　18. 正心枋　19. 井口枋　20. 挑簷枋　21. 拽枋　22. 撐頭木

皇極殿斗拱

矮小房屋會牆倒屋塌，這個對比足以說明斗拱的抗震功能。

其次，古建築出簷深遠，簷部便要負荷很大的重量。明、清宮殿的出簷雖比唐、宋略小，但為了保持內外平衡，除用平身科斗拱分擔簷部荷重外，並把秤桿尾部拉長到下金桁枋之間的稱為溜金斗拱去分擔。還有一種斗拱後尾懸空，如文華門、太極殿的斗拱，其平衡作用是依靠簷部的荷重過大，後尾勢必上挑的反力，挑着金桁枋，非常巧妙，這種做法稱為挑金斗拱。這不僅利於承托簷部重量，而且還給內部的金檁增加了支點，使金檁成為多跨連續樑，從力學來看這是很科學的。

文華門挑金斗拱後尾

御花園萬春亭角科斗拱後尾

太和門內「品」字科斗拱

屋面裝飾

中國古典建築是非常講究造型藝術的，即使是屋頂的輪廓裝飾也頗考究。屋面坡度的曲線自然柔和，簷角向上翹起，確有「如翬斯飛」的形象。宮殿建築再配上多種琉璃構件，這不僅是結構上的實用，也是屋面上重要的裝飾。有了這些裝飾，屋頂顯得巍然高聳，如翼輕展，增加了外觀的優美。

寧壽宮花園如亭寶頂

紫禁城的大小宮殿、樓堂館舍、亭軒廊廡，大都是用不同顏色的琉璃瓦覆蓋。根據建築物的功能和等級來確定屋面裝飾，而屋面各類型脊的使用和瓦件的選擇是根據各種不同的屋頂樣式進行裝飾的。屋面所覆的瓦有板瓦和筒瓦之分，板瓦面微凹，扁而寬，相疊成行，並比排列；筒瓦即半圓形瓦，覆蓋板瓦兩行邊緣，相接成壟。屋頂上安裝多種形象的琉璃飾件，如在正脊和垂脊相交處置正吻，簷角還有仙人和多種樣式的小獸。歇山的兩側有山花，通常雕飾成金錢壽帶。懸山頂的兩頭加博縫板，並釘有梅花釘加以裝飾等。

角樓銅鍍金寶頂

養心殿西配殿屋頂滴子、勾頭及帽釘

屋頂式樣

　　中國古代建築，每座殿宇屋面的裝飾，無論是屋頂樣式或琉璃構件的選擇，都是從整體效果去考慮和安排的。以前朝的三大殿為例，太和殿是重簷廡殿頂，保和殿是重簷歇山頂，兩殿之間佈置一個矮小的四角攢尖式的中和殿，參差變化。四周配房、門廡各殿屋頂式樣又與三大殿主體相配合。正門 —— 太和門是重簷歇山頂屋面，太和殿前左右對稱的東配樓體仁閣、西配樓弘義閣的屋面同是單簷廡殿頂，兩閣之南還有東西相映的單簷

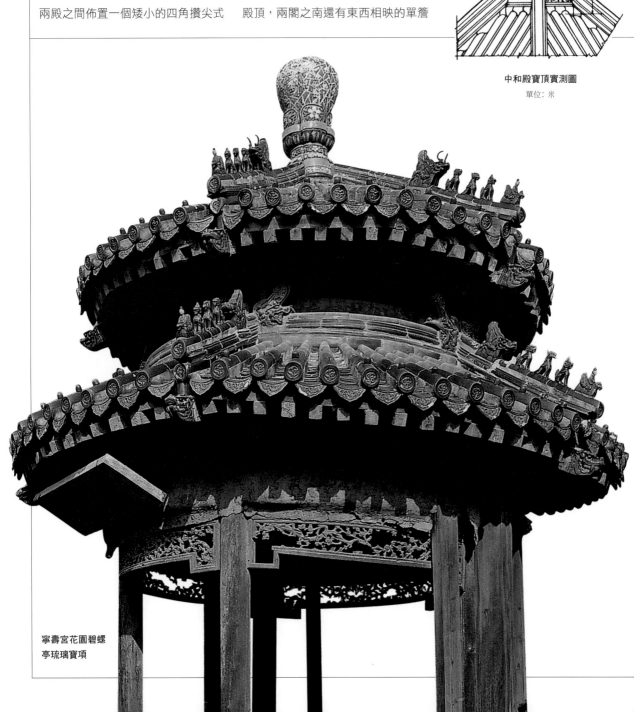

中和殿寶頂實測圖

單位：米

寧壽宮花園碧螺
亭琉璃寶頂

歇山頂的屋面，形成以太和殿為主體的廣大庭院。其後又有以保和殿為主的第二進院，兩廡是連簷通脊硬山頂的屋面。三大殿的四隅再各有重簷歇山頂方形的崇樓。這樣的屋面裝飾變化，不僅區別主次，而且在統一中又有多變的藝術風格，使整個宮殿在嚴謹中又有生動的氣氛。

交泰殿銅鍍金寶頂

御花園浮碧亭琉璃寶頂

御花園千秋亭琉璃寶頂

琉璃構件・大吻

太和殿是皇帝的大朝正殿。殿頂是用中國古代最尊貴的重簷廡殿式，屋面是五條脊四大坡。殿頂端正脊（也稱大脊）兩頭裝飾着龍形的大吻 ── 張口吞脊，尾部上捲，背插留有劍把的寶劍。大吻在宋代《營造法式》中又稱「鴟吻」「正吻」。據《唐會要》中所記：「漢柏梁殿災後，越巫言海中有魚，虬尾似鴟，激浪即降雨，遂作其像於屋上，以厭火祥。」建築師們將這種傳說中的動物形象加以美化裝飾，並用寶劍鎮之在脊端，以寄托去除火災的希望。

太和殿的正吻由十三塊琉璃構件組成，每兩個琉璃構件相接處都用銅鎏金的鐵釘（俗稱扒鍋子）固定把牢。吻通高 3.4 米，重 4.3 噸。

58

太和殿重簷博脊

單位：米

太和殿屋頂正吻　　　正吻位置

琉璃構件 · 簷角小獸

　　殿頂簷角小獸按規定的順序由前而後分別是龍、鳳、獅子、天馬、海馬、押魚、狻猊、獬豸、斗牛、行什，最前端還有一個騎鳳的仙人。明、清時各種琉璃裝飾構件的式樣和大小也是由宮殿的等級決定的。太和殿等級最高，簷角小獸是十個。乾清宮是皇帝居住和辦理政務的地方，其地位僅次於太和殿，因此屋面裝飾的琉璃構件也小於太和殿，簷角小獸用九個（減去行什）。坤寧宮明代是皇后的寢宮，清代是祭神和帝后大婚的洞房，屋面裝飾瓦件也縮小型號，簷角小獸是七個，減少獬豸、斗牛、行什三個。

神武門內值房簷角仙人和走獸

寧壽宮花園擷芳亭簷角仙人和走獸

東西六宮是妃嬪的生活區，屋面瓦件又小一些，簷角小獸是五個。其他配殿和門廡比主殿屋面琉璃瓦件相應縮小型號和減少簷角小獸。一些用琉璃瓦裝飾的小房和門的屋頂，所用的琉璃構件型號就更小了，而簷角的小獸有的僅用一個或者不用。明、清時代屋面所用的琉璃構件的建築材料進一步標準化，這不僅能統一規格，加快施工進度，同時也反映了封建等級制度的森嚴。

龍

鳳

獅子

仙人

海馬

天馬

押魚

斗牛

狴犴

狻猊

行什

太和殿簷角小獸

太和殿簷角

太和殿簷角仙人和走獸

內外簷裝修

　　裝修，分外簷裝修和內簷裝修兩種。紫禁城各宮殿內外簷裝修之豐富，題材之多樣，工藝之精美，室內空間分隔和組合的構思和技巧之精湛，為前代所罕見。外簷裝修的門窗，開始是為了避風雨、防寒暑和採光的需要；內簷裝修的各種花罩和隔斷，開始也是為了居住的方便，但宮殿內的裝修，經過了藝術加工，也就更富有裝飾趣味。

　　外簷裝修是露在建築物外面的門窗部分，種類很多：門，有隔扇門、板門、風門、屏風等；窗，有檻窗、支摘窗、橫披窗、什錦窗等。

　　內簷裝修是建築物內部劃分空間組合的部分，類型多樣。特別是后妃寢宮的內簷裝修選料考究，花紋雕飾精美。室內常用隔扇門（也稱碧紗櫥）、板壁、博古架或書架遮隔，使室內產生既分隔又有聯繫的效果。

菱花釘

菱花紋圖案是三根或兩根直欞相交形成的圖形，相交處附加花瓣而成為放射狀的菱花圖案，木條交叉點上有圓形的金色菱花帽釘，稱為菱花釘。三根直欞相交稱「三交六椀菱花」，兩根直欞相交稱「雙交四椀菱花」，大多運用在隔扇和檻窗。在紫禁城，菱花紋在窗格裝飾上有嚴格的等級規定，凡用三交六椀菱花的門窗屬最高等級，往下依次為雙交四椀菱花、斜方格、正方格、長條形等。

乾清門內實榻大門

左上　乾清門內實榻大門上的鋪首

右上　寧壽宮門鈸

左下　寧壽門內實榻大門上的鋪首

右下　寧壽宮花園衍祺門內實榻大門上的鋪首

鋪首

鋪首，又叫門鋪。紫禁城內各處的大門上大多是獸面鋪首，多為銅面葉貼金其獸面的形象，類似雄獅，在捲髮中有一對犄角，兇猛而威武，這與宮殿前陳設獅子有同樣意義。獸面口啣門環，環下垂，但多數不能活動。環下有月牙形托，環與托上都有行龍花紋。

乾清宮內暖閣板門及毘盧罩

外簷裝修

　　紫禁城的宮殿通常用隔扇門和檻窗。隔扇門的上部稱隔心，下部是裙板，較大的隔扇門還加縧環板。檻窗沒有裙板，而建於檻牆之上。

　　外簷裝修最高等級的花紋式樣有雙交四椀菱花隔心，三交六椀菱花隔心和三交球紋椀菱花隔扇等。例如太和殿外簷的門窗用的都是三交六椀菱花隔心，門窗下部是渾金流雲團龍及翻草岔角裙板，貼

北京典型四合院住宅鳥瞰

太和殿三交六椀菱花隔扇門、團龍渾金裙板

金看葉和角葉的金扉金瑣窗。后妃生活區的外簷裝修，在清中葉以後出現了大琉璃框的門窗，外加可開可關的支摘窗。窗花紋的圖案更多姿多彩，如有步步錦、燈籠框、冰裂紋、錢紋、盤腸、「卍」字、回紋等。

東六宮之一的鍾粹宮，其隔扇門的裙板和橫披窗都是雕刻着別具風格的竹紋，與周圍廊廡、垂花門、屏門相配合，組成三合院的庭院住宅形式。

銅鍍鈒龍雙人字拐角葉

三交六椀菱花隔心

保和殿菱花隔扇夾紗隔心實測圖　單位：釐米

交泰殿隔扇門龍鳳紋裙板

皇極殿西廡隔扇

御花園萬春亭三交六椀菱花隔扇門及簾架

絳雪軒封門五蝠捧壽隔扇門

漱芳齋院東屏門

裝修斷面

上檻
0.64×0.4

齊—連楹
0.252×0.14

簾架心

抹頭
0.28×0.336

齊—縧裙
環板板

厚 0.112

踏板
厚 0.28

下檻
0.80×0.40

0.56

風檻高厚同抱框

檻牆厚按柱徑加三寸定厚

凡次稍間安裝
檻窗上替椿橫
披掛空檻，俱
與明間相齊。
上抹頭與隔扇
上抹頭齊，下
抹頭與隔扇裙
板上抹頭齊。
餘安風檻榻板
檻牆。

簾架

簾架心

隔扇

一檔二空

檔子空當

柱徑
3

2

1

0

0.5

荷葉墩　高 0.376

隔扇簾架實屜隔心詳圖　單位：米

欽安殿四抹球紋隔扇門

D= 柱徑 =1.00 尺
H= 門高 =8.56 尺

額 0.08H × 0.03H

格眼高按二份障水版高

一寸則每瓣長七分廣三分
球文徑三寸至六寸每環徑

腰華版
厚 0.04H

用雙腰串

障水版高
格眼高

1
2

桯

地栿 0.07H × 0.03H

搏柱頰 0.05H × 0.03H

宋式四斜球文格子門

白球文格眼，及兩明造，門高作八尺五寸六
分。按《營造法式》卷七小木作制度二繪。

養心殿錢紋隔扇門、四合如意頭裙板

漱芳齋博古紋掛簷板

樂壽堂西梢間檻窗

中左門雙交方格檻窗

弘義閣直櫺推窗

寧壽宮花園古華軒東側露台下層錢紋漏窗

寧壽宮花園如亭什錦窗

延暉閣燈籠框檻窗

檻窗

檻窗是中國傳統建築中等級較高的一種窗，又叫半窗，是安裝在檻框上的窗子，上半部和隔扇一樣，有格心和縧環板，下半部去掉裙板，有磚砌的短牆，也有木質的板壁。宮殿建築中的檻窗大多為幾何圖案，雕琢較為精美，體現出一種氣魄。

D= 柱徑 =1.00 尺
H= 門高 =8.56 尺

清式外簷裝修隔扇及支摘窗

交泰殿龍鳳雙人字看葉及扭頭圈子

奉先殿隔扇門如意頭裙板

寧壽宮隔扇門如意頭裙板

坤寧宮寶香花雙人字看葉

翊坤宮隔扇五蝠捧壽梭葉

神武門隔扇門梭葉

乾清宮隔扇門渾金團龍裙板

皇極殿隔扇門渾金團龍裙板

內簷裝修

內簷裝修更多的是裝置各種不同類型的罩，如几腿罩、落地罩、花罩、欄杆罩等，造成半分半斷、似分似合的意趣。所用大都是紫檀、花梨、紅木等上等材料，雕刻講究，有的還透雕出幾層立體花樣，非常精緻。例如西六宮室內隔扇門的隔心以燈籠框最多，框心安裝玻璃或糊紗，上面或繪花卉，或題字，非常雅素。加之懸掛上宮燈、楹聯、條幅、貼落，使室內充滿了詩情畫意。隨着手工業的進一步發展，室內裝修也更加豐富多彩，出現了用綴合各種手工藝品而組成的花飾。如乾隆花園一些宮室內的隔扇心所用工藝品，有雙面刺繡、嵌玉、嵌螺、嵌景泰藍，還有拼竹紋、嵌瓷片等，種類多達幾十種，且極精緻。

樂壽堂內簷方框嵌琺瑯隔扇門

翊坤宮內花罩及局部

漱芳齋後殿東室（高雲情）內的燈籠框檻窗和隔扇門

漱芳齋內纏枝蓮花罩及局部

藻井、天花

　　藻井與天花都屬於室內裝修的一種，天花亦稱頂棚，是建築物內用以遮蔽樑以上部分的構件。呈穹窿狀的天花則稱作「藻井」，象徵天宇的崇高。紫禁城內的藻井，一般都用在太和殿、養心殿、齋宮、皇極殿、欽安殿等莊嚴尊貴的殿宇內。而后妃居住的東、西六宮，由於等級所限，都不裝飾藻井。

　　紫禁城殿宇內的天花，大多是明、清時期的遺物。其結構做法，大體分兩類：一種是井口天花，一種是軟天花。

　　藻井的結構非常複雜，它比天花更富有裝飾趣味。從紫禁城各宮殿內保留下來的藻井可以看出，藻井的造型大體是上圓下方，由上、中、下三部分組成。

　　此外，御花園內的千秋亭和浮碧亭，由於等級的不同和所處的環境有異，也各有別具風格的藻井，都是形象美觀、造型精緻的藝術傑作。

　　明清時代的藻井，題材多，構圖謹嚴，設色以青綠冷色為主，大面積用金，絢麗多彩，為宮殿建築的裝飾藝術增添了新的光輝。

太和殿天花實測圖　單位：釐米

御花園堆秀山下部堆秀門內穹隆式的石雕蟠龍藻井

御花園內萬春亭藻井

藻井

藻井是安置在莊嚴雄偉的寶座上方，或者在神聖肅穆的佛堂頂部的天花中央的一種「穹然高起，如傘如蓋」的特殊裝飾。

藻井在漢代已有。關於藻井，在《風俗通》載說：「今殿作天井。井者，東井之像也；藻，水中之物，皆取以壓火災也。」可見，藻井除作為裝飾外，還有避火之意。

以太和殿藻井為例，下部是方井，高0.5米，直徑5.94米，上置斗拱承重；藻井中部的八角井，是承上啟下的過渡部分，高0.57米，直徑3.2米，用多道抹角枋，構成三角（又稱角蟬）和菱形，雕刻有龍鳳紋。抹角枋上置雕刻有雲龍紋圖案的隨瓣枋。上部圓井高0.722米，直徑3.2米，周圍施以二十八攢組成的一圈小斗拱，承受着圓形蓋板（又稱明鏡）。在頂心鏡之下雕有蟠龍，口中啣珠，與地面上的雕龍金漆寶座、各種精緻的陳設和以龍紋為主的樑枋互相襯托，令整個大殿顯得金碧輝煌、莊嚴肅穆。

養心殿藻井

養心殿的藻井大部分施以綠色，沒有完全使用金色，獨具別樣藝術感。

太和殿藻井

藻井位於太和殿正中寶座前上方天花中央，上圓下方，是一種典型的藻井做法。全井分上、中、下三層，最下層稱方井，井口直徑將近6米；中層為八角井；上層叫圓井。三層通高將近1.8米。方井及上部圓井各施斗拱一層，中部八角井滿佈雲龍雕飾。穹隆圓頂內盤臥巨龍，俯首下視，口啣寶珠，莊嚴生動。整個藻井的製造極精細，貼兩色金，與寶座上下呼應，襯托聳立的渾金蟠龍柱，表現了大殿雍容華貴、至高無上的氣派。

交泰殿藻井

交泰殿藻井與太和殿藻井結構相仿，亦為盤龍啣珠藻井。

交泰殿屋頂結構示意圖

交泰殿

御花園內澄瑞亭藻井

慈寧宮花園臨溪亭內海墁式藻井

海墁天花是在較小的房間內架一個完整的框架，上面安木板或糊紙，然後在天花的表面直接進行簡單的彩繪，大多是整間屋子的頂部繪畫連成一個整體，所以稱海墁天花。

齋宮藻井

南薰殿藻井

紫禁城各宮殿之中藻井結構豐富，多有小而密集的貼金斗拱、木雕蟠龍、啣珠蟠龍，工藝非常複雜，是中國特有的繁複絢麗的裝飾技術。

井口天花

井口天花用木條（亦稱支條）縱橫相交，分割成若干個小方塊，按方塊覆蓋木板（亦稱天花板）。由於形狀像「井」字，所以稱為井口天花。天花板的中心部位畫圓光，用青色或綠色作地，內畫龍、鳳、花卉等各種圖案。圓光四周岔角的顏色與圓光反襯，如圓光用青色，岔角則用綠色。岔角常用流雲或捲草等圖案，有瀝粉貼金的稱金琢墨彩畫，染丹青顏色不貼金的稱煙琢墨彩畫。支條十字交叉部位，中心畫蓮瓣形轂轆，四周邊框畫燕尾。

天花板厚 0.07

單枝條　0.22×0.22
連二枝條　0.22×0.22

天花樑
1.11×1.31

貼樑 0.22×0.22

天花枋 0.91×1.11　金柱

帽兒樑每根用挺鈎八根（鋤鍥全）
每天花二井用提搯一根

抱頭樑
穿插枋

帽兒樑

穿帶

0.22

0.22　　天花井數按斗拱空當定　0.22
（營造算例）

單位：米

天 花 樑　高按厚加二寸厚同金柱徑
帽 兒 樑　以枝條三分定徑寸
貼　　樑　以簷枋高四分之一定寬厚
連二枝條　以天花板尺寸加倍定長短，寬厚同單枝條及貼樑
天 花 板　以枝條三分之一定厚

清式天花做法

在紫禁城主要宮殿中，井口天花是最常看到的。井口天花不用幾個框架拼接方法，而是把橫直交叉的支條直接搭在貼樑上，貼樑再向四周的天花樑枋固定。支條相交成許多方格，每個方格鑲入一塊方板，叫天花板。為防跨度大支條下垂，大樑之間還架設有圓形斷面的帽兒樑，上用鐵鈎吊在檁枋之下。井口天花的露明部分，一般要做各種彩畫。

乾清門內升降雙龍戲珠天花

保和殿內轂轆燕尾支條坐龍天花

南薰殿錦紋支條雙龍戲珠天花

雙龍戲珠是中國傳統的吉祥圖案，兩條龍所戲的珠，都被畫做一個火球的形狀。裝飾圖紋如是橫形的，雙龍便以對稱式分列左右，呈行龍姿態；如是近於方或圓形的，雙龍則呈上下對角式，表現出升降狀態。不管是哪種形狀，火珠均在中間。雙龍戲珠裏的「龍珠」實際上是古人對太陽崇拜的表現。

軟天花

　　軟天花是用木格籬子做骨架，再滿糊麻布和紙，在紙上畫出井口支條和各種圖案的彩畫。這種軟天花大都用於後宮較低等級的宮殿，以后妃居住的東、西六宮用得較多。紫禁城宮殿內天花上的彩畫，圖案很多，最尊貴的為龍鳳圖案。如前朝的太和、中和、保和三大殿和內廷的乾清宮、交泰殿、坤寧宮，用的都是這類畫題。

雨花閣內轂轆草支條梵文天花

天花彩畫示範圖

承乾宮鸞鳳天花

太和門內轂轤燕尾正面龍天花

天花彩畫

　　后妃居住的宮殿及花園中亭、堂、樓、閣內的天花彩畫，則選擇富有生活氣息的題材。如景陽宮內天花用雙鶴圖；御花園的浮碧亭天花用蘭花、牡丹、水仙、玉蘭等多種花卉組成的百花圖彩畫；四神祠用纏枝蓮天花；貯藏《四庫全書》的文淵閣用別具風格的金蓮水草天花。倦勤齋內有一座小戲台，天花彩畫是海墁式的藤蘿，由後簷牆蔓延而生，佈滿頂棚，戲台背後是山巒重疊的壁畫。整個戲台的這些襯景，形成了「室內花園」的趣致。

御花園浮碧亭百花圖天花

御花園內玉翠亭花卉天花

慈寧宮花園臨溪亭海墁花卉天花

御花園四神祠宋錦紋支條纏枝蓮天花

景陽宮雙鶴圖天花

木雕天花

　　樂壽堂和古華軒的天花不繪彩
畫，而是用楠木本色雕製成捲草圖
案，與室內裝修渾然一體，富麗雅致。

寧壽宮花園矩亭編織紋天花

寧壽宮花園碧螺亭木雕折枝梅花天花

寧壽宮花園古華軒木雕花草天花

樂壽堂木雕花草天花

漱芳齋前戲台流雲天花

彩畫

在雄偉壯觀的建築物上施以鮮明的色彩，獲得豪華富麗的裝飾效果，是中國古代建築的重要特徵之一。彩畫最初是為了木結構上防腐防蠹的實際需要，塗以植物或礦物顏料，加以保護，後來才和美的要求統一起來。到了明清時代，彩畫已成為宮殿建築不可缺少的一種裝飾藝術。

長春宮內簷樑架碾玉裝旋子彩畫小樣

明清時期的彩畫有嚴格的等級制度。明朝規定「庶民居舍，不得過三間五架及用斗拱彩繪」，紫禁城內各座宮殿的彩畫也有嚴格的區分。從紫禁城各宮殿內外簷彩畫可以看出，外朝和內廷最主要的宮殿，例如太和、中和、保和三大殿，用的是和璽彩畫，這是彩畫中等級最高的。旋子彩畫等級次於和璽彩畫，多用於較次要的宮殿、配殿及門廡等。

和璽彩畫、旋子彩畫、蘇式彩畫以及龍錦彩畫（以龍和錦組成畫面）等，都是以青綠為主體的冷色調彩畫。這些彩畫不僅起區別主次、劃分類型的作用，而且利用統一中求變化的藝術手法，使宮殿建築藝術豐富多彩。

太和殿內簷天花樑金龍和璽彩畫

保和殿內簷天花樑包栿方心雙龍戲珠彩畫

1/3 枋之長　　　1/3 枋之長

箍頭　　藻頭　　枋心

柱頭畫坐龍　岔角淡藍色剔草　綠色盒子畫坐龍　藍地靈芝　藻頭綠地畫降龍　平板枋藍地畫行龍　綠色楞線　大額枋枋心藍地畫雙行龍

黑老箍頭　綠箍頭　青剛藍頭　綠箍頭　綠箍頭　綠剛藍頭　青箍頭　綠箍頭　青剛藍頭　綠箍頭　綠剛藍頭　青箍頭　青剛藍頭

綠箍頭 三色退暈　岔角　青箍頭 三色退暈

青箍頭　臥水綠色　菊花草　插樑頭　合雲五色退暈　立水五色退暈　柱子朱紅油飾

藻頭藍地畫升龍　岔口線　岔口綠色退暈　藻頭圭線　枋心線　藍色楞線　墊板紅地畫行龍　小額枋枋心綠地畫雙行龍

皮條圭線　圭線光 兩面藍綠色退暈　正圭線　綠地菊花草　岔角淺綠色剔水牙　藍色盒子畫坐龍　雀替朱紅地，五色草，大邊貼金　升、翹瀝粉貼金，藍綠退暈，齊白粉線　荷包朱紅地

和璽彩畫示範圖

和璽彩畫

　　和璽彩畫由枋心、藻頭、箍頭三段組成。箍頭在最外側，用兩道豎線相隔，中間畫面為圓形盒子；藻頭靠近箍頭，用「⅗」（鋸齒形）兩道括線相隔，中間置畫面；枋心在兩邊藻頭之間，居於中心，畫面最大，位置突出，它的主要特點是用各種不同姿態的龍或鳳圖案組成整個畫面，間補以花卉圖案，且大面積瀝粉貼金，產生金碧輝煌的效果。樑枋檁桁的用色規制，明間採用上青下綠，次間則上綠下青，依次互相調換，構成諧調勻稱的畫面。

御花園欽安殿椽子飛頭「卍」「壽」字彩畫

寧壽宮外簷大小額枋龍鳳和璽及渾金龍華板彩畫

皇極殿外簷大小額枋墊板金龍方心彩畫

太和殿外簷額枋斗拱檁子椽飛頭彩畫

御花園欽安殿內簷樑枋龍鳳和璽彩畫

和璽彩畫・小樣

太和殿院東北崇樓外簷龍草和璽彩畫小樣

太和殿內簷大小額枋墊板金龍和璽彩畫小樣

壽安宮內簷明間脊部棖、墊板、方子、包栿枋心龍和璽彩畫小樣

壽康宮內簷龍鳳和璽彩畫小樣

旋子彩畫

旋子彩畫是明代宮殿建築中最盛行的一種彩畫。畫面佈局靈活，富於變化。花心面積大，旋瓣採用青綠相間與退暈相結合的辦法，色彩在對比中求得變化。花紋結構有簡有繁，彼此參差變化，使花紋形象突出，造型簡單明確。旋花的主要部位用金，則起點睛與分明主次的作用。這些特點結合在一起，最後達到渾然一體的藝術效果。清代的旋子彩畫繼承了明代的傳統風格並有所變化，比如為了設計及操作技術上的方便，使之更加規格化和標準化。紫禁城宮殿現存的彩畫大部分是清代所繪，但鍾粹宮和長春宮內簷樑架上及武英殿前南薰殿的內簷上，至今還保留有明代的旋子彩畫。

有的旋子彩畫以蓮座上加石榴或雲頭為花心，周圍置番蓮葉，外層繞

協和門外簷龍錦方心金線大點金旋子彩畫

皇極殿西廡一字方心墨線大點金旋子彩畫

慈寧門內簷樑枋龍鳳方心金琢墨石碾玉旋子彩畫

以包瓣式旋花；有的旋子彩畫以番蓮葉頂端置雲頭做花心，周圍做環狀的大形如意頭。南薰殿的彩畫用平金開墨的雙龍戲珠做枋心，而其他幾處都是退暈的空枋心，枋心兩尖端不做直線，而用一種連續曲折的弧線與藻頭旋花相配合，極為和諧連貫。明間比次間畫面長，除採用插入盒子來調節比例外，並在一整兩破旋花之間用連續折疊的旋紋加以連綴，使之適應畫面的長度。檁枋和樑枋是不同體形的畫面，也選擇不同構圖的花紋，例如檁桁是圓體的轉折面，因而用扁長環狀的大形如意頭；樑枋是立體轉折面，則用橢圓形的旋花。這樣處理既滿足畫面寬窄不同的要求，又能滿足視覺的觀感，避免畫面流於平淡呆板，是極成功的藝術手法。

神武門內東值房外簷檁枋碾玉裝旋子彩畫

西北角樓外簷檁枋龍錦方心
墨線大點金旋子彩畫

奉先殿外簷大小額枋金線大點金旋子彩畫

隆宗門樑架一字方心墨線大點金旋子彩畫

旋子彩畫・小樣

　　旋子彩畫畫面的區劃和色彩的搭配跟和璽彩畫大體相同，二者主要的區別部分是藻頭。旋子彩畫藻頭圖案的中心叫花心（旋眼），花心的外圈環以兩層或三層重疊的花瓣，最外繞以一圈渦狀的花紋，稱作旋子。旋花的位置以一整兩破（一整團旋花、兩枚半個旋花）為基本構圖，隨着樑枋、檁枋和大小額枋的長短高低的不同，畫面旋花可以有不同的組合。旋子彩畫枋心的書法有多種：枋心，大小額枋一畫龍，一畫錦紋，稱龍錦枋心；只畫墨道稱一字枋心；刷青綠退暈，不施花紋的稱空枋心；畫錦紋和花卉的稱花錦枋心。枋心畫題的配置，向有固定的式樣，視藻頭旋花類型而定。

　　旋子彩畫按各個部位用金的多寡和顏色搭配的不同，分為以下幾種：一、渾金旋子彩畫（藻頭枋心、箍頭畫面滿貼金）；二、金琢墨石碾玉（花瓣用青綠色退暈，花心菱地點金，一

旋子彩畫示範圖

鍾粹宮內簷次間檁枋碾玉裝旋子彩畫小樣

切線路輪廓都用金線）；三、煙琢墨石碾玉（花瓣用青綠色退暈、花心菱地點金，線路用金線，花瓣輪廓用墨線）；四、金線大點金（花心、菱地點金，線路用金線，花瓣輪廓用墨線）；五、墨線大點金（花心菱地點金，線路花瓣用墨線）；六、墨線小點金（線路、花瓣用墨線，僅花心點金）；七、雅伍墨（不用金）；八、雄黃玉（以黃色為主，旋花青綠色退暈）。以上類型彩畫的採用，視建築物的等級而定。

南薰殿內簷額枋坐斗枋、斗拱碾玉裝金龍方心旋子彩畫小樣

奉先殿內簷明間大小額枋渾金旋子彩畫小樣

蘇式彩畫

　　紫禁城花園的亭台樓閣中的彩畫有蘇式彩畫。到清代晚期，後宮的東、西六宮也有用這類彩畫的，它比和璽、旋子彩畫佈局靈活，畫面所用題材廣泛，多用山水人物故事、草蟲花鳥以及吉祥圖案。這些畫題與生活上的要求及周圍的環境密切相連。例如花園中的亭、台、樓、閣以及曲折的遊廊施以題材多變的蘇式彩畫，或與周圍山石花木相搭配，錯落輝映，或與室內大量鑲嵌雕鏤的傢具及室外各種精緻的陳設相襯托，遂形成協調連貫的整體，成為中國宮廷花園的獨特藝術風格。

漱芳齋院台戲台內簷抹角樑枋子蘇式彩畫

景福宮前抱廈大花楑花鳥蘇式彩畫

儲秀宮院拐角廊包栿方心蘇式彩畫

寧壽宮花園禊賞亭額枋蘇式彩畫

鍾粹宮的垂花門欞枋有八卦的蘇式彩畫

漱芳齋東旁門內樑架蘇式彩畫

景陽宮內簷天花樑枋蘇式彩畫

蘇式彩畫・小樣

　　蘇式彩畫的畫面枋心主要有兩種式樣：一、與和璽、旋子彩畫同樣採用狹長形枋心；二、在較大的樑枋上或者將簷檁、簷墊板、簷枋三部分的枋心聯成一氣，做一個大的半圓形，稱搭栿子（通稱包栿）。包栿的邊緣輪廓用連續折疊的線條將色彩由淺及深地逐層退暈。藻頭部分常繪扇面斗方、桃形、葫蘆形等各種象形的集錦式的畫面，外加卡子（束草和幾何圖案）作括線。整幅畫面兩端是貫通的箍頭，此外還有海墁式蘇畫。

　　紫禁城宮殿保存下來的蘇式彩畫多是清中葉以後的遺物，例如乾隆花園、御花園等處的部分彩畫。

枮頭剔三色地，畫博古，或染藍（綠）地，畫花卉

副箍頭深淺綠色退暈

箍頭畫藍色陰陽回紋

黑地聯珠，香色黃白三色退暈

煙雲托，每種色深淺三道退暈

綠地軟卡子

箍頭畫綠色陰陽回紋

黑地聯珠，紫色粉白三色退暈

大線瀝粉貼金

藍色

枋子集錦水人物，

瀝粉金線

柱頭畫聯珠，回紋

金線

柱頭丹色剔草

老箍頭黑色

副箍頭深淺藍色退暈

藍地硬卡子

插樑頭

瀝粉金邊

綠色退暈

藍色

綠色

粉道

倒掛楣子

墊板朱紅地，畫博古、葡萄、葫蘆等

桁條綠色地，畫瑞獸或折枝花

大邊朱紅油飾

柱子朱紅油飾

花牙子 { 外面或貼金，或染綠色 / 裏面刷丹色

藍色或金色

卡子做法有三種：
1. 金琢墨瀝粉退暈
2. 全部貼金
3. 煙琢墨染香紫綠三色

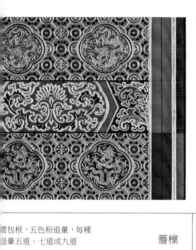

寧壽宮花園佛日樓外簷檁墊枋龍錦花紋彩畫小樣

雲包栿，五色粉退暈，每種
退暈五道、七道或九道　　　　簷檁

包栿內部，畫題隨宜佈置，或畫山水
人物，或畫翎毛花卉，或畫風景建築　簷墊板

簷枋

蘇式彩畫示範圖　　　　　　御花園絳雪軒前抱廈斑竹紋海墁蘇式彩畫小樣

體和殿外簷明、次、梢間額枋包袱方心蘇式彩畫小樣

體和殿外簷明間欒、墊枋斗拱包袱心蘇式彩畫小樣

寧壽宮花園碧螺亭欒墊枋楣子折枝梅蘇式彩畫小樣

寧壽宮花園旭輝亭外簷蘇式彩畫小樣

琉璃裝飾

紫禁城內的大小宮殿、內廷各宮殿區的牆門、院落的院門、照壁、牆面以及花園裏的花壇等，都廣泛使用琉璃裝飾。琉璃裝飾的圖案要根據建築物的等級和功能來確定。皇帝使用的宮殿的琉璃裝飾完全用龍的圖案，如乾隆皇帝做皇子時的居所——重華宮就是這樣。東、西六宮是后妃居住地，通常用禽鳥、花卉等圖案做琉璃裝飾。而在一些次要的院落裏，則只用素琉璃裝點而沒有花飾。

乾清門八字影壁
花卉琉璃盒子

琉璃釉色瑩潤光亮，色彩豐富。它比木材堅固耐用，比石材色彩鮮豔。用它裝飾建築物，可以使建築的造型更加美麗，也可以烘托建築空間佈局的氣氛，是體現建築藝術效果不可少的手段。例如：乾清門廣場以寬闊的橫街作為外朝與內廷的界線，乾清門作為內廷的正門，比起高聳的三台，自然顯得低一些，但是，在門兩側裝飾的八字照壁，卻吸引人的視線，增加了宮門的氣魄，收到了富麗豪華的藝術效果。

中國琉璃製作有着悠久的歷史和輝煌的成就。到了明、清兩代，尤其是清代中期，琉璃生產更為發達。製成的琉璃，釉色滋潤細膩，胎土質密均勻，胎釉接合更加緊密。由於在生產中很好地掌握了顏色釉原料的性能和燒製技術，燒出了明黃、孔雀藍、翠綠、絳紫、乳白等多種顏色的琉璃，這就為宮殿建築採用琉璃裝飾提供了良好的物質條件。

重華門琉璃花飾

琉璃照壁

　　內廷的牆門和院門的琉璃裝飾，通常是用琉璃瓦頂，簷下斗拱不用木製構件，而是用琉璃仿製，額枋檁桁則用琉璃貼面雕刻成空枋心的旋子彩畫。

　　門腿兩旁在須彌座上砌起略矮於正門的琉璃照壁，壁面四角有岔角，當中有圓形盒子裝飾着各種圖案。

　　如養心殿是皇帝的寢宮和處理日常政務的地方，因此，它的宮門和照壁也非常華麗，不僅宮門簷下斗拱、檁枋用琉璃製造，兩旁照壁的岔角是

皇極門三間七樓琉璃門

四種極富質感的花卉，當中是鷺鷥臥蓮刻有海棠線的圓盒子。整個照壁畫面以黃色線磚為框，以綠色琉璃面磚為底，白色的鷺鷥、綠色的荷葉、黃色的荷花，碧水彩雲縈繞其間，花紋線條流暢，構圖新穎，題材別緻，極富裝飾趣味。

又如寧壽宮一區的皇極門，由於牆垣高大，不用隨牆門的式樣，而是採用類似木結構牌樓門的做法，用琉璃砌成三間七樓加垂蓮柱的三座門，把大門裝飾得更加壯觀。

養心門琉璃照壁

遵義門內琉璃影壁

重華門琉璃照壁

◎ 九龍壁

皇極門南面立起一座龐大的彩色琉璃照壁，俗稱「九龍壁」，是乾隆三十六年（1771）改建寧壽宮時建造的。壁長 29.4 米，高 3.5 米，整個壁面為 71.6 平方米。照壁上為黃琉璃瓦廡殿頂，壁頂琉璃大脊雕刻水紋和九條龍，如同龍在海水中翻騰。壁身是九條巨龍，四周滿佈琉璃花飾。龍的形體有坐龍、升龍和降龍，翻轉自如，神態各異，下邊以海水、流雲為背景。為了突出龍的形象，用了黃、藍、白、紫等多種顏色，並採取高浮雕的手法塑造，使之富有立體感，造型極為鮮明生動。壁底部承托以雕製精美的白石須彌座。

明清崇尚「九」、「五」之數，「九」、「五」之數代表天子之尊。九龍壁不僅主體龍是九條，其他地方也按九、五設置，如廡殿頂用五脊；正中用九龍花脊；斗拱之間採用五乘九為四十五塊龍紋墊拱板等。可以看出，

黃色蟠龍

黃色蟠龍居於主位。主龍左右各有四條姿態各異的遊龍，構圖勻稱地佈陳於畫面上。龍與龍之間凸雕峭拔的山石六組，將九龍作靈活的區隔。壁面的下部，九龍的足下雕有起伏而富於層次的海浪，橫亙於整個壁面，既使得九龍互為聯繫，又增加了畫面的完整性。

九龍壁

九龍壁的主體龍紋採用高肉雕，塑體起伏強烈，龍頭的額角厚度最大，高出壁面 20 毫米，顯現出龍的形神生動、騰越跳躍的姿態，好像要震壁飛去。

九龍壁的塑面共由二百七十個塑塊拼接而成。琉璃壁面共分為九龍、山石、雲氣和海水四層塑體，花紋複雜，工藝難度很大。設計時要精心地選擇在花紋簡單、不損龍的頭面等處來斷塊；同時還要考慮錯縫疊砌時保持壁體的堅固。而塑塊拼合時則要求逐塊銜接，層層吻合。因此，非掌握嫻熟技法的藝人是難以達到這種藝術高度的。

九龍壁自上到下都蘊藏着或明或暗的九、五之數。

　　九龍壁正中的三條蟠龍，與皇極門、寧壽門、皇極殿、寧壽宮等同落於一條南北軸線上，與皇極殿前的雕龍御路、簷下的掃青九龍匾遙相呼應。正中的蟠龍作馴服的蜷息姿勢，

如朝覲、如拱衛，兩目凝視著皇極殿正門、正殿，襯出皇宮一派莊嚴肅穆。站在皇極殿前向南展望，透過兩道宮門，視線的終點正是九龍壁正中這條猶如金鑄的黃色蟠龍。

　　九龍壁雖已經過二百多年的風風雨雨，色澤光豔現仍不減。它和中國

現存的另外兩處九龍壁——山西大同明代九龍壁、北京北海乾隆朝燒製的九龍壁可以媲美，而三座九龍壁中，又以紫禁城的九龍壁雕製最精細、色彩最華美。

琉璃岔角、盒子、須彌座

　　供奉道教神明的欽安殿前面的天一門和英華殿佛堂前面的英華門兩處琉璃照壁，在裝飾上是另一種風格。岔角、盒子全飾以仙鶴流雲圖案，這些都是和宗教內容有關的題材。

　　除門照壁琉璃裝飾外，在一些宮殿的坎牆下肩，有用龜背錦或其他圖案做琉璃貼面的；在花園裏，也有用琉璃砌花壇的須彌座和欄杆的。總之，用琉璃做裝飾，範圍非常廣泛。

齋宮門照壁琉璃須彌座

御花園內天一門照壁流雲雙鶴盒子

養心門琉璃照壁鷺鷥臥蓮盒子

清式須彌座示意圖

慈寧宮花園臨溪亭檻牆琉璃花飾

太和殿內琉璃面磚龜背錦花飾

乾清門八字影壁花卉琉璃岔角

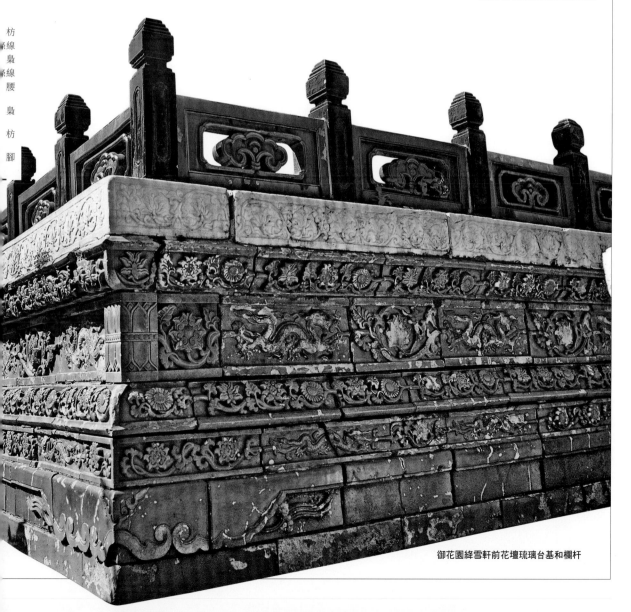

枋線梟線　梟枋
線梟線腰　枋腳

御花園絳雪軒前花壇琉璃台基和欄杆

其他設施

4

橋樑涵洞

紫禁城外，四面環有護城河，俗稱筒子河。河水源自玉泉山，引進北京城後，流入積水潭。其中一支流經北海入濠濮澗，向東經景山西牆外，流入紫禁城西北角的護城河，再經城垣下的地溝，流入紫禁城內，稱內金水河。另一支由中南海向東流入社稷壇（今中山公園），再南流，到天安門前，稱外金水河。

金水河在元朝時已經有了。據《元史・河渠志》所載：「金水河其源出於宛平縣玉泉山，流至和義門南水門入京城，故得金水之名。」和義門即今西直門，南水門舊址在今西直門南約 120 多米處。《古今事物考記》就載有：「帝王闕內置金水河，表天河銀漢之義也，自周有之。」元建大都，悉沿舊制，置水命名也不例外，所以把流入宮闕的水叫金水河。後來雖由於宮殿地址遷移等原因，明、清兩代金水河道有所改變，但基本情況和現在差不多。

太和門前內金水河東側涵洞

太和門前金水橋局部

內金水河從紫禁城西北角地溝流入紫禁城。水道沿紫禁城內西側南流，流過武英殿、太和門前，經文淵閣前到東三座門，復經鑾儀衛西，從紫禁城的東南角流出紫禁城，全長2000多米。

金水河的總流向，自西北向東南，是按堪輿風水之說及禮制而定的。但是長長的流水往復迴環，原設計意圖並非全從美觀着眼，也是從便於給水和排水兩個角度去考慮的。劉若愚在《酌中志》中曾寫道：「是河也，非為魚泳在藻，以資遊賞，亦非故為

曲折，以耗物料，恐意外回祿之變，此水實可賴。天啟四年六科廊災，六年武英殿西油漆作災，皆得此水之力……又如天啟年一號殿嗊鸞宮被焚者二次，如只靠井中汲水，能救幾何耶？……」可見着意用金水河為救火

的水源。皇極、太和等大殿施工時，和泥灰也用的是內金水河河水。

內金水河上最雄偉的橋是太和門前的金水橋，其餘十幾座橋樣式各異，有單拱橋和三座並列的橋，還有半邊是涵洞半邊是橋的，不一而足。

內金水河

內金水河是紫禁城建築設計的傑作。河身依不同地勢，或寬、或收、或隱、或現，並給以不同的裝飾。凡流經地面的地方，均以豆渣石及青石砌成規整的河幫石底，隨轉折及所處地境的不同，寬窄不一，河幫處理也不一樣。金水河以太和門一帶最寬，為10.4米，河東西兩端接涵洞處則為8.2米，最窄的地方只有4—5米。因太和門一帶地處外朝衝要，兩岸圍以漢白玉石欄杆。其餘部分的金水河幫，就改用磚砌矮牆。除個別地段成直線外，絕大部分的河身彎轉自如。到太和門，河身曼回，蜿蜒東流，將宮門置於河的環抱之中，襯托出一派莊嚴雄偉的氣勢。

太和門前院內金水河，是全河藝術設計重點所在。河上雄跨五橋，中間一座最大，長23.15米，寬6米；兩側稍小，各長21米，寬5.4米；外邊的兩座各長19.5米，寬4.8米。居中的橋靠前，兩側橋身依次後退，橋面兩端為斜坡。隨着彎曲如弓的河流，這一組橋面的前邊和後邊也自成弧形。橋為石拱單孔結構，石橋面，漢白玉雕石欄杆。正中主橋是皇帝通過的御路，白石欄杆用雕有龍雲紋的望柱，與太和門、太和殿的須彌座欄杆等級

相垺。左右四座賓橋，為王公百官行　　工藝的精粗分了等級。

走之路。欄杆只用火炬形陰刻弧形線

的望柱頭，名「二十四氣」。如此，由

橋的寬、長和欄杆花紋雕刻的題材、

太和門前內金水橋全景

紫禁城周圍的護城河，開鑿於明代。河寬 52 米，兩側以大塊豆渣石和青石砌成整齊筆直的河幫，岸上兩側立有矮牆。城壕本來是為防護而設的，但是設在皇宮外圍就不同一般，除防護外，還須顯出皇家的氣派，能達到配合環境的藝術效果。澄明如鏡的水面，四隅上的角樓，沿河栽植的樹木，無不給人以寧靜、開闊之感，為宮廷增添了不少風采。清代還曾在河中栽種蓮藕，既有觀賞之美，又可收經濟之益。

紫禁城內地下排水溝道縱橫交錯，最後合成幾條幹溝，一一注入金水河，使內金水河成為最大的幹溝，泄水通暢，所以無論遭到何等大雨，紫禁城內絕無漫溢之患。

有河就要架橋。遇到地面上有建築物，就以涵洞引入地下，所以說內金水河「或隱或現，總一脈也」。全流共有大小橋二十餘座，涵洞十多處。

最古老最精美的橋，數橫跨在武英殿東側金水河上的斷虹橋。全長 18.7 米，通寬 9.2 米。石拱單孔結構，青石橋面，漢白玉雕石欄杆，欄板上刻有精緻美麗的花紋，二十個望柱頭上各有一頭小獅子，或蹲或坐，

斷虹橋東側河道

情態各異，饒有趣味。此橋是明初所建，現在除局部構件有所添配更換外，從未大修過，依然堅固牢實。

　　此外，在神武門、東華門、西華門外各有一座平橋跨過護城河，相接城門口與大路。

左圖　護城河入紫禁城涵洞
右圖　文華門東側內河

斷虹橋橋面

給水排水

明清宮廷內生活用水主要取之於水井。紫禁城內有很好的排水
方法及排水溝道系統,保證雨天水流無阻,不會瀦積。

錢眼(下水口)、溝眼口示意圖

相傳明宮初建時,鑿有水井七十二眼,以像「地煞」。劉若愚記宮內宮殿規制,其中多處提到有井,而且還說慈寧宮、慈慶宮、乾清宮兩旁之宮各有井等等。這說明建皇宮時對於水井的安置在設計上是有全盤考慮的。至於是否為七十二口,那就難以考證了。現在內廷各宮院和外朝有的院內以及廚房、庫房等處幾乎都有水井,有的一口,有的兩口,數量很多,確也有七十二口上下。這在當時,每院一井,用水可謂十分方便了。

排水方法主要是利用坡度,使水流直接或通過溝槽匯流在一起,自「錢眼」漏入下水溝道內。院子中高邊低,北高南低。繞四周房基都有石水槽,這是明溝。遇到台階,則在階下開一石券洞,使明溝的水通過。在太和殿,因為有螭首噴水,明溝改在房基以外,噴水落下的地方,四角有「錢眼」漏水。全部明溝及錢眼漏下的水流向東南崇樓,穿過台階下的券洞,流入協和門外的金水河內。後三宮及其他各個宮院,排水情況也大都如此。

「錢眼」是水由地面轉入地下的入口,「溝眼」是地面水穿過障礙的出口,兩者都是排水措施不可缺少的部分。在宮內,這些設施都經藝術加工,精心設計,樣式繁多,構成美麗的磚、石雕裝飾。

螭首構件

三大殿的三台,台中心高 8.13 米,台邊高 7.12 米,排水效果極為明顯,周圍石欄杆的每邊都有小洞,每根望柱下面都有雕琢精美的石「螭首」。內口有鑿通的圓孔,都是輔助排水的孔道,大雨滂沱時,1100 多個排水孔能將台面雨水瞬間排盡,形成上下千龍注水的奇觀。

太和殿前三台排水龍頭

給水

　　井的設置十分考究。井上安石蓋板、井口石、木蓋板，還加上鎖。從有的井口石上的一條條溝印來看，當時是用繩吊桶汲水的。在清代儲秀宮、長春宮等處茶房用品登記冊上，就有水桶、柳罐等物。有的在樑下架一根木枋，上安滑車。今御花園西井亭內還留有這樣的設備。

　　井上大都建有井亭，現在還保存有近 30 個。宮內井亭之多，也是這組古建築羣的獨特之處。井亭的做法，在宋《營造法式》上已有規定。其目的是便於打水，並有利於保持水井潔淨。紫禁城內井亭均為「大式做法」，安斗拱，施彩畫，平面多為四方形，大木構架為扒樑式或抹角樑式。

亭基四周砌石泄水槽，亭頂多為盝頂，也有懸山捲棚頂，頂正中開一方口，以納光及便於淘井。在細部構造及樣式方面，按所在位置不同而有變化。宮殿院內井亭，造型華麗，裝飾精巧，甚至在井口石、井台上都雕刻有精緻的花紋。這些井亭，成雙地建於庭院之中，極富裝飾性。

御花園井亭

宮內的井，除供生活用水外，還有不少是有特殊用途的。文華殿東的傳心殿院內，有一口井，稱大庖井，明時已有，每年於此祭祀井神。直到清代，仍規定每年十月在大庖井前祭祀井神。據記載，此井水清甜，有「玉泉第一，文華殿之東大庖井第二」之說，可稱宮內諸井之首。現在宮內的水井大部分已乾涸，唯獨此井，水仍甘冽晶瑩。

皇帝吃的水並不是宮裏的井水，而是從玉泉山用水車運來的泉水。乾隆詩中有「飲食尋常總玉泉」之句。宮中為皇帝皇后煮飯、烹茶也都用的是玉泉水。皇帝出京、巡幸、圍獵時，亦「載玉泉水以供御用」。康熙時大學士李光地頗為皇帝器重，被聘作皇太子的老師。這位大學士腸胃不好，需要喝好水，但他家住南城宣武門外，水質不好，於是皇帝命每日將玉泉山水交給大學士家人帶回去。由此可見，玉泉山水是皇家獨佔，非上賜不得飲用。據說玉泉水最輕，因此水質也最好。

浴德堂西側井亭

武英殿西北角有一口井，由架空石水槽將水引至浴德堂西的室內。武英殿在清時為刻印書刊的地方，浴德堂是修書處，此井水應為供印刷書籍之用。又傳說，浴德堂後有一維吾爾式浴室，此水專供香妃在浴室中沐浴使用。姑且不論其用途為何，單就水槽的設計來說，隔着院子將水引進室內大鐵鍋裏，下面有燒火灶加熱，也是很巧妙的。

排水

　　紫禁城用於排水的幹道專線，明溝暗溝，縱橫交叉，溝通各個宮殿院落。總的走向是將東西方向流的水，匯流入南北走向的幹溝內，然後全部流入內金水河。

　　其中幾條幹溝是這樣分佈的：神武門內，內宮牆以北，有一條由西往東又折而向南，幾乎整整繞了半個紫禁城的下水道。地面上鋪石板，隔一

定距離石板上留有泄水的小孔，西端流入城隍廟東的金水河，東端經東北城角再往南通過十三排，接入清史館內的金水河。

　　另一條是北起上面所說的東西幹道，向南經東六宮和寧壽宮之間的夾道，再往西沿御茶膳房東牆外，然後往東南接入文華殿東面的金水河。在夾道南端又出一支流，向西穿過奉先

殿南羣房，從西南牆角穿出，沿外朝中路東牆外，經文華殿西牆外接入金水河。

　　再一條自乾清宮院內的西南角穿出，橫過內右門，穿入養心殿南庫，自南庫南牆穿出，經隆宗門外往南，至武英殿東邊的斷虹橋入金水河。

　　乾清宮、交泰殿、坤寧宮的兩側及東西長街，都有縱向的暗溝，設在

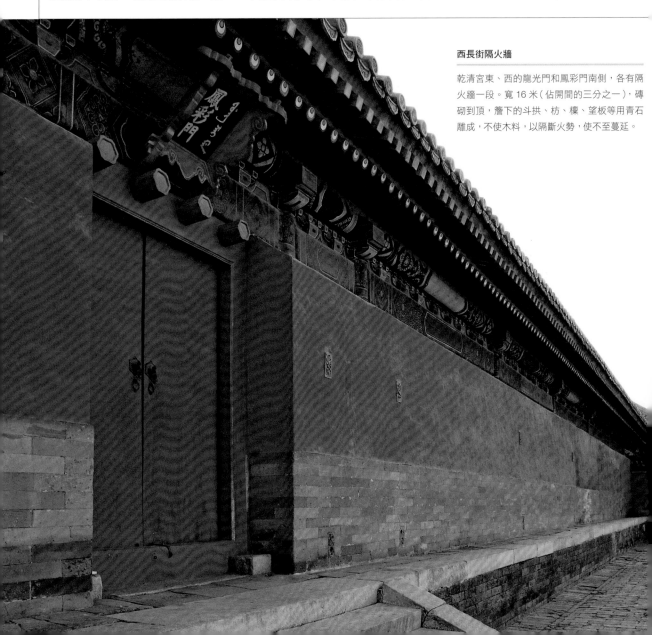

西長街隔火牆

乾清宮東、西的龍光門和鳳彩門南側，各有隔火牆一段。寬 16 米（佔開間的三分之一），磚砌到頂，簷下的斗拱、枋、檁、望板等用青石雕成，不使木料，以隔斷火勢，使不至蔓延。

路的一邊或兩側，接納由各宮院內流出的下水，再匯合於東西向溝內，然後注入以上幾條幹溝。

　　這些溝道系統建於明朝，幹溝高可過人。太和殿東南崇樓下面的券洞（即溝眼），高 1.5 米，寬 0.8 米，溝頂砌磚券，溝幫溝底砌條石。東西長街的溝道也有 0.6—0.7 米高，全部用石砌，其工程之浩大超過地面上的金水河。明、清均有規定，每年春季要按時（清代定為每年三月份）淘修宮內溝渠，由於歷代不斷疏通，至今雖已歷五百多年，仍然暢通。

　　宮內下水，不包括糞便，處理糞便另有辦法。

東筒子排水滴子

乾清門前銅鍍金大海缸

儲秀宮燒古銅缸

大缸

紫禁城內每座較大的庭院裏和後宮東西長街，都可以看到排列得很整齊的大缸。這些大缸都是明、清舊有的殿外陳設物，具有消防和裝飾的價值。在清代，缸內平時貯滿清水。每年到了農曆小雪季節，由太監在缸外套上棉套，上加缸蓋，下邊石座內置炭火，防止冰凍，直到春節後驚蟄時才撤火。宮內陳列的這些大缸，明代大都用鐵或青銅製成，鎏金銅缸很少，兩耳上均加鐵環；清代則多數是用的鎏金大銅缸，或者「燒古」青銅缸。明代缸的樣式上奢下斂，古樸大方；清代缸的樣式腹大口收，兩耳加獸面銅環，製作精緻，外表富麗。

禦寒防暑

每年十一月初一，宮中開始燒暖炕，設圍爐，謂之「開爐節」。雖說是從十一月初一起開始採暖，但實際上，特別到了清末，各處採暖時間並不一致。如儲秀宮、長春宮、重華宮、永和宮等處，由九月下旬起就開始採暖了。這可能是由於清末宮內一切規劃都不嚴格，皇帝皇后可以任意而為，只有下屬差役等仍是十一月初一開始採暖。

宮中採暖基本上有兩種方式：一是隨建築在地面下佈置火道、地炕；另一種是可移動的設備 —— 炭盆。

樂壽堂煙道出口

為取暖，宮殿中還安放火盆，按照規制，各處放置火盆數量都有規定，但也時有因天氣太冷而加設的。如雍正元年（1723），太和殿殿試，天氣太冷，令總管太監多放幾個火盆，以免筆硯冰結，使諸貢士可以盡心書寫。在太和殿燒火盆，曾經發生過一次險情。嘉慶二十四年（1819）十月，嘉慶帝御太和殿，殿內安設火盆太多，後面三槽隔扇全開著，風吹火星滿地，經御前大臣、侍衛等撲救踏滅。於是皇帝下諭，以後每遇保和殿筵宴、太和殿受賀筵宴及御太和殿，只在地平二層兩角安設炭火二盆，盆內炭火用土掩蓋。如看祝版，中和殿、太和殿不安火盆，若有多放者革職。

北京是大陸性季風氣候，年溫差大，冬冷夏熱。紫禁城內房屋高頂厚牆，隔熱防寒性極好，主要宮殿坐北面南，前後開窗，真可謂冬暖夏涼。到了夏天，打開窗戶，廊簷下掛竹簾，院內支搭涼棚，另外還有其他禦寒防暑的措施。

紫禁城內有冰窖五所，有四所各能藏冰 5000 塊，另一所能藏冰 9226 塊。冬天鑿御河冰存在窖裏，地址在隆宗門外西南造辦處。長春宮、儲秀宮等處茶房內設有冰桶，以供冷飲、冰凍水果之用。在內務府辦公地，每年五月初一起至七月二十日止，每日可領取兩塊冰，這是給大臣們的防暑用品。

清代康熙帝以後，到了夏季，則索性離開紫禁城，到圓明園、香山、承德離宮和南苑行宮去避暑。

樂壽堂地炕燒火口

在內廷的宮殿廊簷下，砌地炕的燒火洞。洞內砌有磚爐子，或放入燃好的火爐子。洞口約有 1 米見方，深 1.5 米左右，上面設蓋板。室內地面下佈置縱橫煙道。火燃後熱氣通過地下的煙道，把煙排出室外，這是採用北方居民普遍習用的火炕與火牆的採暖方法，不過宮內的比民間的講究。有這樣採暖設備的宮殿多稱之為「暖閣」。在乾清宮、坤寧宮以及東、西六宮內都可以見到這樣的設置。《明宮史》上記有「懋勤殿，天啟造地炕於此，恆臨御之」。說明有地炕的宮殿是皇帝、皇后經常住的地方。外朝各殿不設暖閣，只在每年冬天安放火盆。

銅質鏤空梅花大薰爐

火爐

　　設在宮內的火爐（當時是火盆）花樣繁多，分為盆和籠兩部分。大的重達數百斤，通高 1 米多，或三足，或四足，有的下面還安一個座；小的隨手可以提動，像西瓜那樣大小，用來暖手的叫手爐，暖腳的叫腳爐。每個火盆都是一件精美的工藝品。

　　宮內這樣多的烤暖設備，每日需要大量的炭、木柴、煤等燃料。明代宛平知縣沈榜在《宛署雜記》中記載，萬曆十八年（1590）殿試，一次就用木炭 1000 多斤。清代按份例供應柴炭。乾隆年間份例的標準是：皇太后、皇后，110 斤；皇貴妃，90 斤；貴妃，75 斤；公主，30 斤；皇子，20 斤；皇孫，10 斤。到了晚清溥儀時，單一個儲秀宮冬天每日用殿煤 3000 斤，殿炭 300 斤，紅蘿炭 20 斤，寸子炭 30 捆。永和宮為養魚採暖每日用炭 50 斤，紅蘿炭 50 斤。花園裏為薰蟈蟈，每日用煤 20 斤，炭兩簍，紅蘿炭 40 簍。大量的柴炭，都是為皇家所用，至於住房差役等人員，則份例極少，如文淵閣更棚，每座每日用炭只有 5 斤。所以雖然皇帝説貧富者殊，畏寒無二，但在禦寒之物的供應上，卻有天壤之別。

白銅「壽」字手爐

銅胎掐絲琺瑯薰爐

銅鍍金薰爐

　　宮中所用的紅蘿炭是上好的木炭。以易州等地山中硬木燒成，明代宮中就用這樣的炭。清代每年宮內派員帶領官役赴易縣、淶水等地採買，令各窯戶只准賣給官廠，不准私相買賣。按尺寸鋸截，盛在小圓荊筐裏，外面刷紅土，故名「紅蘿炭」，運送到今西安門外的紅蘿廠。這種炭，氣暖而耐燒，灰白而不爆，圍着火盆烤火，不致被煙嗆。

　　明、清兩代均有管理皇宮內薪炭的機構，叫惜薪司。清代在宮內還有管安裝火爐、運送柴炭的熱火處；管柴炭分發及存儲的柴炭處；管點火燒炕的燒炕處。說明管理宮內這一套供熱系統，是相當繁雜的工作。

　　每日用這樣多的柴炭，必須有堆放場地。除上述紅蘿廠外，在紫禁城外還有惜薪司管轄的北廠、南廠、西廠、東廠、新西廠、新南廠等處貯收柴炭，在紫禁城內於西五所後，東西二小門外，有惜薪司貯柴炭之圍，備宮中燃用。

銅薰爐

掐絲琺瑯夔鳳紋薰爐

白泥薰爐膽

照明

紫禁城內，夜間主要是用以蠟燭為光源的燈具照明。

宮內為了防火，對於燈火的管理很嚴。清代外朝除朝房及各門外，均無燈。到了清末，宮內早於各地首先安了電燈，自設有發電機。

坤寧宮大婚用的羊角罩「喜」字燈

內廷與東西長街均有路燈。據《明宮史》記載，宮中各長街設有路燈，以石為座，銅為樓，銅絲為門壁。每晚內府庫監添油點燈，以便巡看關防。王公大臣天明前趨朝，唯親王才准有燈引路至景運門或隆宗門，軍機大臣可提羊角燈入內右門，其餘的人均不得用燈引路。但皇帝出入，前有引燈數對，每盞用五兩重蠟一枝；另有門燈站燈若干對，每盞用八兩重羊油蠟一枝。嘉慶時還規定，皇上出入，駕後添設明角燈四盞，以資照明。

殿內早朝，冬日天尚未明，在寶座側列羊角燈數對。康熙二十四年（1685）正月，在保和殿御試，交卷後，皇上與修撰蔡元升談話，至天暮，命侍衛執燈伴送，這已是很例外的事了。

宮廷所用各式彩蠟

後宮長街石座路燈

清代晚期，由於普遍使用玻璃，這些路燈上的銅絲門壁改用玻璃，既防風又明亮，那時安的玻璃上，中間畫有紅色大圓「壽」字，四角各畫一隻紅色蝙蝠，象徵福壽。這是只有皇宮內才能設置的路燈，王府和其他地方是不准設置的。乾隆寵臣和珅在嘉慶登基伊始被定罪抄家，罪狀之一就是違例在府內設有這樣的路燈。

後宮西二長街夜景

宮燈

內廷各宮殿室內的燈具設置琳琅滿目。以咸豐二年（1852）所立的養心殿三殿燈賬為例，其中僅東暖閣就安掛燈四十五座，十五種樣式。乾隆曾作詩詠燈：「騰輝照綺席，散彩當珠殿。馥馥博山香，遲遲玉漏箭。影射桃笙流，華映須絢。九枝非所貴，分陰誠可羨。方勵焚音志，敢卜通宵妄。剪檠閱奏章，毋使目光眩。」為了剪蠟燭心，燈具中設有剪燭罐。

每逢年節，各殿還要增設燈具。每年正月十五日為燈節，是一次賞燈晚會。所懸燈做成鳥獸或花果狀，上糊白紗，繪有彩畫。還有鰲山燈、龍燈，長有 5 尺，十個太監用竹竿支着，前邊一人執一燈珠，取龍戲珠之意。說明在當時雖然只是以蠟燭採光，但經過巧匠的精心設計，其裝

畫琺瑯蠟台

坤寧宮內牛角質地座燈

金漆座燈

飾藝術效果和現在的五彩電燈都頗相似。

以上説的這些燈具都是以放蠟燭的蠟阡為中心，燈罩裝飾則千變萬化，主要是用雕竹、雕木、鏤銅及金屬做成框架，外糊紗絹，再加羊角或玻璃。有的在燈罩上方加置華蓋，燈下加掛垂錦以及珠玉金銀穗墜，有的還在燈罩四周懸掛吉祥雜寶流蘇瓔珞。因不同的用途做成各種形式：放在桌上的叫桌燈或座燈；掛在屋頂下的叫掛燈；高架支在地上的叫戳燈；拿在手中用於室外的叫把燈；提在手裏引路的叫路燈；等等。宮內熟皮作（武備院南鞍庫下屬機構）有燈匠可以製燈，所用流蘇、瓔珞等，亦係自作。

楠木框葫蘆挑桿戳燈

紫檀框詩畫宮燈

「吉慶有餘」掐絲琺瑯宮燈

掐絲琺瑯桌燈

紫檀框梅花式宮燈

掐絲琺瑯祝壽落地蠟台

藍料宮燈

「年年有餘」宮燈

掐絲琺瑯油畫玻璃宮燈

附錄

紫禁城宮殿建築大事年表

1406 年
明永樂四年閏七月
永樂帝下詔以明年五月建北京宮殿，為此遣官員到各地籌工備料，並徵集工匠、軍士和民丁限期明年五月趕抵北京聽役。

1417 年
明永樂十五年二月
選派泰寧侯陳珪為主，以王通、柳升為副，營建北京宮殿。

1420 年
明永樂十八年十二月
紫禁城宮殿全部竣工。

1421 年
明永樂十九年四月
奉天（今名太和）、華蓋（今名中和）、謹身（今名保和）三殿毀於火。

1422 年
明永樂二十年閏十二月
乾清宮毀於火。

1436 年
明正統元年九月
派遣太監阮安和都督沈清、少保吳中督造奉天、華蓋、謹身三殿。

1439 年
明正統四年十二月
重建乾清宮，並遣尚書吳中祭司工之神。

1440 年
明正統五年三月
奉天、華蓋、謹身三殿和乾清、坤寧二宮竣工。

1449 年
明正統十四年十二月
文淵閣受火災，所藏之書悉為灰燼。

1475 年
明成化十一年四月
乾清門夜間發生火災。

1487 年
明成化二十三年九月
修建仁壽等宮。

1490 年
明弘治三年二月
修造隆德等殿，撥錦衣衛三百人助役。

1492 年
明弘治五年六月
大學士丘濬請於文淵閣近地別建重樓，完全用磚石砌成。將累朝實錄御製玉牒庋於樓上，並將內府的藏書庋於樓的下層。

1498 年
明弘治十一年十月
清寧宮毀於火。

1499 年
明弘治十二年十月
重建清寧宮竣工。

1514 年
明正德九年正月
正月賞燈放煙火，乾清、坤寧二宮毀於火。

明正德九年十二月
為建造乾清宮一區建築，加天下賦白銀百萬兩。

1519 年
明正德十四年八月
重建乾清、坤寧二宮。

1522 年
明嘉靖元年正月
清寧宮後三小宮發生火災。

1523 年
明嘉靖二年四月
在奉慈殿後修建觀德殿。

1525 年
明嘉靖四年三月
仁壽宮發生火災。

明嘉靖四年八月
工部會廷臣議營建仁壽宮事，同年始建仁壽宮。

明嘉靖四年十月
修理清寧宮竣工。

1526 年
明嘉靖五年七月
嘉靖皇帝傳旨工部，因初立觀德殿在奉慈殿後，事出倉促，規模窄隘，今擬在奉先殿東側，別建一殿名為崇先殿，以便奉安皇考恭穆獻皇帝神位（嘉靖皇帝生父），同年開工營建。

1527 年
明嘉靖六年三月
崇先殿建成。

1531 年
明嘉靖十年六月
雷擊午門上角亭垂脊及西華門城樓西北角柱。

1534 年
明嘉靖十三年九月
在文華殿後建九五齋、恭默室為祭祀齋居之所。

1535 年
明嘉靖十四年五月
重建未央宮，並修建欽安殿以祀真武，殿前建天一門及圍牆。同年改十二宮名，長安宮為景仁宮、長樂宮為毓德宮（今名永壽宮）、永寧宮為承乾宮、萬安宮為翊坤宮、咸陽宮為鍾粹宮、壽昌宮為儲秀宮、長壽宮為延祺宮（後改延禧宮）、未央宮為啟祥宮、永安宮為永和宮、長春宮為永寧宮（今名長春宮）、長陽宮為景陽宮、壽安宮為咸福宮、咸熙宮為咸安宮。

1536 年

明嘉靖十五年四月

在清寧宮後半地建慈慶宮為太皇太后一區，同時以仁壽宮故址並撤大善殿營建慈寧宮，為太后宮一區。

明嘉靖十五年十一月

文華殿原用於太子出閣，設座於中殿，因此是綠色琉璃瓦；至此改為皇帝設經筵之所，改易黃色琉璃瓦。

1537 年

明嘉靖十六年四月

嘉靖皇帝下詔增修內閣。

明嘉靖十六年五月

清寧宮膳房、端敬殿、御食館、元輝殿、方殿、省愆居、理辦房及內神廚門等工程俱完。並建聖濟殿於文華殿後以祀先醫。

明嘉靖十六年六月

新建養心殿竣工。

1538 年

明嘉靖十七年七月

慈寧宮一區宮殿竣工。

1539 年

明嘉靖十八年正月

奉先殿竣工。

明嘉靖十八年十月

永壽宮竣工。

1540 年

明嘉靖十九年十一月

慈慶宮、本恩殿、二號殿、三號殿全部竣工。

1557 年

明嘉靖三十六年四月

十三日雷雨大作，戌刻火光驟起由奉天殿（今名太和殿）延燒及謹身（保和）、華蓋（中和）二殿，文樓（今名體仁閣）、武樓（今名弘義閣），

奉天（今名太和）、左順（今名協和）、右順（今名熙和）及午門等門共有二殿二樓十五門全部毀於火。

明嘉靖三十六年十月

為重建奉天等殿以及午門、太和門興工，嘉靖皇帝親告大高玄殿。

1558 年

明嘉靖三十七年六月

新建午門、太和門、東西角門、左右順門等門竣工。嘉靖皇帝下旨太和門權名更大朝門，其餘各殿、樓、門等總待竣工後降制。

1562 年

明嘉靖四十一年九月

嘉靖皇帝下旨，奉天殿更名皇極殿（今名太和殿），謹身殿更名建極殿（今名保和殿），華蓋殿更名中極殿（今名中和殿）；另文樓為文昭閣（今名體仁閣），武樓為武成閣（今名弘義閣），左順門為會極門（今名協和門），右順門為歸極門（今名熙和門），奉天門（即大朝門）為皇極門（今名太和門），東角門為弘政門（今名昭德門），西角門為宣治門（今名貞度門）。

1566 年

明嘉靖四十五年六月

雷禮奉旨建玄極寶殿，同年九月竣工，以奉嘉靖皇帝之父睿宗。

1567 年

明隆慶元年四月

修理景仁宮鑄給監工科道關防。隆禧殿更名英華殿。

1569 年

明隆慶三年閏六月

修理乾清宮殿宇及廊廡。

明隆慶三年十一月

修理承乾、永和二宮。

1570 年

明隆慶四年二月

隆慶皇帝命工部於道心閣、精一堂、臨保室舊址重建隆道閣、仁德堂、忠義室。

1573 年

明萬曆元年九月

修理午門正樓。

明萬曆元年十一月

慈寧宮後台毀於火。

1575 年

明萬曆三年五月

修造慈寧宮暖閣仙橋。

1578 年

明萬曆六年

添蓋臨溪館（今名臨溪亭）一座。

1580 年

明萬曆八年四月

皇極門（今名太和門）明樑損壞，命部議修換。

明萬曆八年閏四月

皇極門開工。

明萬曆八年六月

皇極門竣工。

1583 年

明萬曆十一年二月

萬曆皇帝下詔修武英殿，所用的工料銀於節慎庫內支出。庚戌日興工，並遣楊巍祭告。

明萬曆十一年五月

臨溪館更名為臨溪亭；咸若亭更名為咸若館。

明萬曆十一年八月

辛酉以武英殿竣工遣尚書楊兆祭后土司工之神。

明萬曆十一年九月

拆毀四神祠和觀花殿，疊石為山，中作石門，闢為堆秀，山上建亭名御景亭。御花園東西建魚池，池上建浮碧、澄瑞二亭，還有清望閣、金香亭、玉翠亭、樂志齋、曲流館等。並以修宮後苑工程竣工，遣尚書楊兆祭后土司工之神。

明萬曆十一年十二月

慈寧宮夜一更發生火災。

1584 年
明萬曆十二年二月

萬曆皇帝上諭內閣，慈寧宮係聖母御居，工部會同內官監，要上緊鼎新毋得延緩。

1585 年
明萬曆十三年二月

營建慈寧宮，並遣尚書楊兆祭告后土司工之神。

明萬曆十三年六月

慈寧宮竣工。

1591 年
明萬曆十九年

宮後苑（即御花園）清望閣、金香亭、玉翠亭、樂志齋、曲流館拆毀。

1594 年
明萬曆二十二年四月

修理紫禁城的城垣，遣尚書表貞吉祭告後土司工之神。

明萬曆二十二年六月

雷雨大作，西華門城樓發生火災。

1596 年
明萬曆二十四年三月

是日戌刻，火發自坤寧宮，延及乾清宮，一時俱燼。

明萬曆二十四年七月

萬曆皇帝命欽天監擇日鼎建乾清宮。

明萬曆二十四年閏八月

西華門城樓竣工。

1597 年
明萬曆二十五年正月

鼎建乾清、坤寧二宮興工，祭告后土司工之神。

明萬曆二十五年六月

三大殿發生火災，至是火起歸極門（今名協和門）延至皇極（今名太和殿）等殿，文昭（今名體仁閣）、武成（今名弘義閣）二閣，周圍廊廡一時俱燼。

1598 年
明萬曆二十六年七月

重建乾清宮、交泰殿、坤寧宮東西暖殿披房、斜廊和乾清、日精、月華、景和、隆福等門，周圍廊廡一百一十間，並有神霄殿、東裕庫、芳玉軒全部竣工，並包括做豎櫃二百四十座、板箱二千四百件，通共用銀七十二萬兩。

明萬曆二十六年十一月

隆宗門興工。

1600 年
明萬曆二十八年八月

慈慶宮竣工。

1603 年
明萬曆三十一年四月

慈慶宮花園等處竣工，遣侍郎周應賓行祀土禮。欽天監擇定十六日皇極、中極、建極三大殿開始清理地基。

1608 年
明萬曆三十六年九月

會極（今名協和門）、歸極（今名熙和門）二門上樑。

1615 年
明萬曆四十三年閏八月

皇極、中極、建極三大殿開始重建。

1616 年
明萬曆四十四年十一月

隆德殿災。

1620 年
明泰昌元年八月

皇極門興工。

明泰昌元年十月

噦鸞宮災。

1625 年
明天啟五年二月

天啟皇帝命御史崔呈秀巡視三大殿及各門廡工程。弘政（今名昭德門）、宣治（今名貞度門）二門開工。

1626 年
明天啟六年九月

皇極殿（今名太和殿）竣工，天啟皇帝在該殿受百官行慶賀禮。

1627 年
明天啟七年三月

隆德殿興工。

明天啟七年四月

內官監李永賢題本隆德殿竣工。

明天啟七年八月

禮部奏三大殿工程告竣，請擇吉日臨御。己酉工部奏三大殿自天啟五年二月二十三日起興工，至七年八月初二報竣。

1645 年
清順治二年五月

定紫禁城前朝殿名為太和殿、中和殿、保和殿、太和門、昭德門、貞度門、協和門、雍和門（今名熙和門）、中左門、中右門、體仁閣、左翼門、弘義閣、右翼門、後左門、後右門等。重建乾清宮。

1647 年
清順治四年

奉順治皇帝旨意重建午門。

1653 年
清順治十年

重建慈寧宮為皇太后所居。

1655 年
清順治十二年

重修內宮各殿，有乾清宮、交泰殿、坤寧宮、

乾清門、景運門、隆宗門及坤寧門。又重修景仁宮、承乾宮、鍾粹宮、永壽宮、翊坤宮、儲秀宮等。

1657 年
清順治十四年
順治皇帝敕建奉先殿，前後殿各七間。

1669 年
清康熙八年
重建太和殿和乾清宮。

1672 年
清康熙十一年閏七月
工部尚書吳達禮等奏稱重修三大殿院、後崇樓，太和殿斜廊、平廊，保和殿斜廊平廊及圍房，中左、中右門、後右、後左門拆卸，屋頂寬瓦油飾彩畫已竣工。

1673 年
清康熙十二年
重建交泰殿、坤寧宮及景和、隆福二門。

1679 年
清康熙十八年
重修奉天殿。建太子宮，正殿為惇本殿，殿之後為毓慶宮；前為祥旭門。太和殿災。

1682 年
清康熙二十一年
改建咸安宮（今名壽安宮）。

1683 年
清康熙二十二年
重建文華殿，並重修啟祥宮（今名太極殿）、長春宮、咸福宮。

1685 年
清康熙二十四年
建傳心殿於文華殿之東。

1686 年
清康熙二十五年
重修延禧宮、景陽宮。

1688 年
清康熙二十七年
建寧壽宮。

1695 年
清康熙三十四年
重建太和殿。

1697 年
清康熙三十六年
重修承乾宮、永壽宮，並在坤寧宮左右建暖殿。

1698 年
清康熙三十七年
太和殿工程竣工。

1726 年
清雍正四年
在紫禁城內西北隅，雍正皇帝敕建城隍廟。

1731 年

清雍正九年
奉雍正皇帝旨意於東一長街之南仁祥、陽曜二門之中建齋宮。

1734 年
清雍正十二年九月
修建慈寧宮一區呈覽畫樣，拆卸舊有宮殿房屋八十六間，牆垣一百八十八丈七尺，新添建宮殿大小房屋二百二十三間，工料共約需白銀六萬九千餘兩。

1735 年
清雍正十三年十二月
新建壽康宮興工。

1736 年
清乾隆元年十月
乾隆皇帝閱視壽康宮工程。壽康宮竣工。壽康宮一區包括前後殿周圍廡房、門等大小殿座二百八十八間，院牆二百三十三丈五尺、地面一千二十丈六尺二寸及影壁、路燈、鐵太平缸等附屬設施共實用銀七萬四千一百二十三兩六錢九分八釐，用赤金一百八十八兩七錢。

1737 年
清乾隆二年
重修奉先殿。

1740 年
清乾隆五年
興建撫辰殿、建福宮、惠風亭等及建福宮花園（俗稱西花園）。1923 年 6 月 26 日夜，敬勝齋失火，延燒延春閣、靜怡軒、慧曜樓、吉雲樓、碧琳館、妙蓮花室、凝暉堂及花園南的中正殿等，皆毀於火。

1743 年
清乾隆八年
改建毓慶宮，包括正殿、後殿後罩房、圍房、值房及門等項工程，共用白銀四萬八千九百八十餘兩。

1745 年
清乾隆十年
重華宮修蓋殿宇前接抱廈等，欽安殿內油飾彩畫過色見新，永壽宮後殿改安裝修，咸福宮加高牆垣等項共用銀二萬五千六百餘兩。

1746 年
清乾隆十一年三月
擷芳殿改建為三所興工（即為皇子住的南三所）。

1747 年
清乾隆十二年
在乾清門左右建直廬各十二間（今名九卿房和軍機處），又於直廬南面各建坐南向北五間軍機章京值房和蒙古王公值房。南三所竣工。

1750 年
清乾隆十五年
建造雨花閣一座，連兩邊值房二座，計十四間，諸旗房四座計十二間，挪蓋凝華亭一座、琉璃門二座及其他室內裝修和室外設備工程。除舊料抵銷銀外，實用工料所用白銀二萬二千五百三十三兩有多，用赤金一百九十六兩八分一釐。

1751 年
清乾隆十六年
改建咸安宮更名壽安宮，又重修慈寧宮。

1754 年
清乾隆十九年
海望、三和等管工大臣奏稱遵旨御花園將養性齋改建為轉角樓一座計十三間，大小月台二座、鑲墁花斑石、安砌漢白玉石欄杆十六堂等。

1758 年
清乾隆二十三年四月
二十八日午時，太和殿院廡房綠皮庫失火，延燒至貞度門、衣服庫、熙和門，共燒毀房屋四十一間。

清乾隆二十三年十二月
遵照乾隆皇帝旨意修建熙和門一座計五間，北山圍房一座計十三間，重簷方樓一座（太和殿西南崇樓）四面各顯三間，貞度門一座計三間，西山圍房一座計六間，弘義閣南山圍房一座計十間及院內其他維修工程，全部竣工，總共用白銀十萬三千九百四十三兩。

1759 年
清乾隆二十四年
在東華門內石橋迤北建琉璃門三座。

1760 年
清乾隆二十五年
奉乾隆皇帝旨將廣儲司、兆祥所、尚衣監改建為皇子住房，共有三百六十間。又重修咸安宮官學二十七間。

1761 年
清乾隆二十六年
重築保和殿後三台下層御路。

1762 年
清乾隆二十七年
奉乾隆皇帝旨將神武門內東長房一百二十一間改為皇孫住房。重修文華殿。

1763 年
清乾隆二十八年二月
修理保和殿、中和殿、太和殿後簷、欄板和望柱等工程。

1765 年
清乾隆三十年
重修太和殿、中和殿、保和殿。慈寧宮花園內

添建後樓（慈蔭樓）、配樓兩座（吉雲樓和寶相樓）、臨溪亭前東西配殿、間等，重修咸若館。以上統計添建和改建殿宇樓房十一座共五十六間，以及拆改附屬建築和其他設施，共需白銀五萬九千四百五十二兩。

清乾隆三十年四月
紫禁城內城隍廟正殿、馬神廟、山門、順山房大木歪閃俱打牮撥正，拆窵配殿頂四座計十二間，並拆蓋挪省牲房三間，拆改門一座及其他附屬建築，共估計白銀九千一百八十餘兩。

1766 年
清乾隆三十一年五月
重修南三所、茶飯房、淨房、井亭、門罩，琉璃門共一百四十間，統計二百九十二間，以及其他一些附屬建築物，共需估白銀三千九百餘兩。

1767 年
清乾隆三十二年十二月
慈寧宮由單簷改建為重簷大殿，並挪蓋後殿，拆改宮門，改建前後廊及左右二門及垂花門二座，四週轉角圍房、月台甬路、牆垣等項工程，共需估工料白銀十萬八千七百四十四兩。

1770 年
清乾隆三十五年十一月
修建寧壽宮殿宇節次燙樣。

1771 年
清乾隆三十六年
奉乾隆皇帝特旨重修寧壽宮一區殿宇。

1772 年
清乾隆三十七年
內務府英廉、劉浩、四格管理寧壽宮工程大臣奏稱，寧壽宮一區後路養性殿仿養心殿，樂壽堂仿長春宮淳化軒式樣，殿宇大木俱已齊備，擬請擇日上樑，經欽天監擇得本年九月十六日戊申宜用辰時上樑吉。內務府奏稱，寧壽宮工程殿座高大，大件物料多，非經年能告竣。酌擬分年次第修造。得先造後路各殿座。今據建造壽寧宮後路養性殿、樂壽堂、頤和軒、景祺閣及西路花園擷芳亭、禊賞亭、倦勤齋等，除楠木、杉木、架木、金磚並顏料飛金銅錫、綾絹向各處徵用以外，需工料白銀七十一萬九千三百五十七兩。

1774 年
清乾隆三十九年
乾隆皇帝敕建文淵閣於文華殿之後，為藏《四庫全書》之所。包括碑亭一座、閣前水池及單券石橋和閣後堆造雲步山石、值房等。

1776 年
清乾隆四十一年
寧壽宮一區工程竣工。後經內務府大臣英廉、和珅於乾隆四十四年三月初一日奏稱：修建寧壽宮各殿宇、樓台房座、前後路共計一千一百八十三間，並成堆各處山石俱已如式成修完竣，除各項舊料抵用核除價值並計辦松木價銀扣除外，實需白銀一百二十七萬三百四十兩。

1783 年
清乾隆四十八年六月
體仁閣災。

清乾隆四十八年七月
重建體仁閣，工料按例需銀四萬一千一百七十一兩。

1790 年
清乾隆五十五年
擬重建菓房、銀庫值房等，通共約需白銀五千五百二十一兩。

1795 年
清乾隆六十年二月
奉乾隆皇帝旨將毓慶宮殿前大殿一座（即惇本殿）計五間及配殿及祥旭門俱往前挪蓋，並添蓋圍房六間，拆去值房十一間，改蓋值房六間，後罩殿前添蓋遊廊六間，罩殿東山添蓋抱廈一間等項工程呈燙樣。

1797 年
清嘉慶二年
乾清宮發生火災延及交泰殿和宏德、昭仁二殿，全部毀於火。重建乾清宮、交泰殿和乾清宮東西昭仁、宏德二殿。

1798 年
清嘉慶三年
乾清宮、交泰殿及乾清宮兩邊昭仁殿、宏德殿竣工。

清嘉慶三年十月初十日

內閣奉敕旨太上皇乾隆和嘉慶皇帝進宮閱視乾清宮和交泰殿工程。

1799 年

清嘉慶四年

壽安宮院大戲台拆除，交圓明園工程處。

1801 年

清嘉慶六年

重修午門和齋宮。

1802 年

清嘉慶七年

重修養心殿、重華宮、建福宮、儲秀宮、延禧宮及上書房。

1819 年

清嘉慶二十四年

重修寧壽宮、暢音閣、閱是樓、佛日樓、梵華樓，並拆蓋扮戲樓，還拆去暢音閣的東西配樓，改蓋圍房二座。除行取各項物料外，按例實銷工料白銀四萬九千五百七十一兩。

1831 年

清道光十一年

重修寶華殿並將室內所供奉的畫像白救度佛母八十一軸和供養畫像十軸撤下送交東黃寺。

1869 年

清同治八年六月

二十日夜間西華門內武英殿不戒於火被毀，延燒其他殿宇三十餘間，重修時派潘文勤估工程。

1870 年

清同治九年正月

北五所內敬事房木庫發生火災被毀。

1888 年

清光緒十四年十二月

十五日夜間貞度門發生火災被毀，並延燒太和門及左右廡房。

1889 年

清光緒十五年

重建太和門、貞度門和昭德門。

1891 年

清光緒十七年

修寧壽宮和重華宮。

（鄭連章輯）

紫禁城宮殿建築術语表

B

扒樑　030, 031, 032, 047, 110, 111, 210, 302

扒樑又稱「趴樑」，是一種兩端扣在椽上或一般樑上的一種樑。扒樑和順樑的方向一致，扒樑既是樑，同時也起着枋的作用，或者說它同時也是一根枋。

寶頂　030, 033, 036, 037, 060, 110, 159, 172, 173, 212, 220, 221, 222, 223

中國古建築的構件，原用於封護屋脊使之不受雨水等浸蝕，後來逐漸突出裝飾性，所用材料多為金屬或琉璃，位於建築的中軸線中央，形狀有圓形、束腰圓形、樓閣形或寶塔形。

抱廈　030, 100, 110, 122, 156, 182, 205, 211, 275, 279

建築術語，清以前叫「龜頭屋」或耳房，是指在原建築之前或之後接建出來的小房子。在主建築之一側突出一間（或三間），由兩個歇山頂（宋稱九脊殿）「丁」字相交，插入部分叫抱廈。外形幾乎全呈「凸」字形，最大功能是讓主殿顯得更具氣勢。

博脊　110, 111, 209, 225

建築構件名。古代建築物歇山頂在山花板與其下山面屋面相交處平置的脊，稱為博脊。

C

材　216

材是宋代《營造法式》中建築構件的長度的標準。

螭首　010, 015, 042, 193, 200, 300

螭是中國古代神話傳說中一種沒有角的龍。中國古建築或器物、工藝品上常用它的形狀作裝飾。在建築中多用於排水口的裝飾，稱為螭首散水。

崇樓　040, 146, 189, 202, 223, 266, 300, 305

紫禁城建築羣中的重要裝飾性建築。位於三大殿四周廊廡的四角，重簷歇山頂，封閉陰暗。紫禁城中共有四座崇樓。

重台鈎欄　193

宋式欄杆的一種，它的主要特點是有上下兩層，皆有華板，所以稱為「重台鈎欄」。關於重台鈎欄的形制，在《營造法式》中也有較清楚的規定：每段高四尺，長七尺，華板上雕刻有精美的花紋，非常漂亮而顯華貴。欄杆，原作「闌桿」，原是指用木料編織起來的遮擋物，後來又發展出石、磚、琉璃等不同材料所製成的欄杆。

重簷廡殿頂　013, 014, 024, 028, 046, 098, 102, 159, 208, 209, 222

中國古建築屋頂樣式之一，是明清所有殿頂中最高等級。這種殿頂構成的殿宇平面呈矩形，面寬大於進深，前後兩坡相交處為正脊，左右兩坡有四條垂脊，分別交於正脊的一端。重簷廡殿頂，是在廡殿頂之下，又有短簷，四角各有一條短垂脊，共九脊。太和殿是中國最大的重簷廡殿頂的宮殿。

重簷歇山頂　040, 210, 211, 222, 223

中國古建築屋頂樣式之一，在規格上僅次於廡殿頂。歇山頂共有九條屋脊，即一條正脊、四條垂脊和四條戧脊，因此又稱九脊頂。由於其正脊兩端到屋簷處中間折斷了一次，分為垂脊和戧脊，好像「歇」了一歇，故名歇山頂。歇山頂結合了直線和斜線，在視覺效果上給人以稜角分明、結構清晰的感覺。

穿斗　204

古代木構建築的主要結構體系。穿斗式是用穿枋把柱子串起來，形成一榀榀房架，檁條直接擱置在柱頭，沿檁條方向，再用斗枋把柱子串聯起來，由此而形成屋架。木構架用料少，整體性強，抗震能力也較強。柱子排列密，多用於民居和較小的建築物。

D

大吻　015, 218, 224

又稱正吻、鴟吻，是古建築正脊兩端常用的裝飾。琉璃瓦類產品種類，呈單體構件，造型花樣多是龍、獸等動物，用於建築屋頂正脊兩端。正吻在房屋建築上起防水和裝飾效果。

丹陛　丹墀　040, 044, 048, 049

古代宮殿都坐落在台基上，台基上的台階稱「陛」，台階和台階之間的緩衝平地稱「墀」，古時宮殿的台階多塗飾紅色，所以稱為「丹陛」和「丹墀」。

地栿　042, 198, 237

地栿屬於額枋的一種。額枋，中國古代建築柱子之間聯絡和承重的水平構件。內柱間的稱為內額，柱腳的稱為地栿。欄杆的闌板或房屋的牆面底部與地面相交處的長板，一般有石造和木造兩種。地栿位於地面（台基頂面、上枋、階條石、垂帶等頂面）上，為石欄杆的第一層，實為望柱和欄板的基座。

斗拱　010, 015, 032, 046, 189, 214, 215, 216, 217, 218, 219, 248, 249, 253, 254, 265, 273, 280, 284, 289, 302, 304

中國建築特有的一種結構。在立柱和橫樑交接處，從柱頂上加的一層層探出成弓形的承重結構叫拱，拱與拱之間墊的方形木塊叫斗，合稱斗拱。

G

隔扇　072, 096, 132, 138, 140, 230, 232, 233, 234, 235, 237, 239, 240, 241, 242, 243, 244, 245, 306

隔扇是中國古代的一種門。隔扇也寫作槅扇，係由宋式格子門發展而來，用於分隔室內外或室內空間。

H

華板　193, 199, 265

「華板」是欄杆的一個重要組成部分，是擋桿的各個構件中雕飾最突出的一個構件。華板是宋代名稱，也就是明清欄杆中的欄板。欄板多雕刻花紋作為裝飾，非常漂亮、華麗。

J

井幹　204

一種不用立柱和大樑的房屋結構。以圓木或矩形、六角形木料平行向上層層疊置，在轉角處

木料端部交叉咬合，形成房屋四壁，形如古代井上的木圍欄，再在左右兩側壁上立矮柱承脊檁構成房屋。井幹式結構需用大量木材，在絕對尺度和開設門窗上都受很大限制，因此通用程度不如抬樑式構架和穿斗式構架。

K

檻窗　230, 232, 235, 239, 245

是中國傳統建築中等級較高的一種窗，又叫半窗，是安裝在檻框上的窗子，上半部和隔扇一樣，有格心和縧環板。下半部去掉裙板，有磚砌的短牆，也有木質的板壁。宮殿建築中的檻窗大多為幾何圖案，雕琢較為精美，體現出一種氣魄。

L

菱花紋 菱花釘 三交六椀菱花　072, 230, 232, 233

菱花紋圖案是三根或兩根直櫺相交形成的圖形，相交處附加花瓣而成為放射狀的菱花圖案，木條交叉點上有圓形的金色菱花帽釘，稱為菱花釘。三根直櫺相交稱「三交六椀菱花」，兩根直櫺相交稱「雙交四椀菱花」，大多運用在隔扇和檻窗。在紫禁城，菱花紋在窗格裝飾上有嚴格的等級規定，凡用三交六椀菱花的門窗屬最高等級，往下依次為雙交四椀菱花、斜方格、正方格、長條形等。

鎏　金　015, 036, 040, 045, 060, 074, 107, 109, 166, 172, 224, 305

用金汞合金製成的金泥塗飾器物的表面，經過烘烤，汞蒸發而金固結於器物上的一種傳統工藝。

M

馬道　022, 029

指建於城台內側的漫坡道，一般為左右對稱。坡道表面為陡磚砌法，利用磚的稜面形成澀腳，俗稱「礓」，便於馬匹、車輛上下。

抹角樑　030, 031, 274, 302

在建築面闊與進深成 45 度角處放置的樑，似抹去屋角，起加強屋角建築力度的作用，是古建築內簷轉角處常用的樑架形式。紫禁城內暢音閣採用此種做法，可減少金柱，使下層台面有一個相當規模的完整空間。

N

鈕頭圈子　240

在較華麗的建築中，多用角葉和人字葉釘在邊挺與抹頭相接處，以防扇角鬆脫或歪斜，看葉上帶有鈕花圈子。用渾金流雲團龍及翻草岔角、貼金看葉和角葉裝飾的門窗、裙板，華貴富麗。

Q

券門　022, 024, 107, 178, 179

券門也可以稱「拱門」，是指用磚石砌成的半圓形或弧形的門洞。平時有部分士兵守在城下，當有戰事發生時，即要登城參戰，所以在城內側相隔不遠便會建一個圓拱形小門，有石階可以通到城牆上部。

闕　024, 025, 029, 214, 294

中國古建築中一種特殊的類型，用於標誌建築羣入口的建築物，常見於城池、宮殿、祠廟和陵墓之前，通常左右對稱建成高台，台上起樓觀，之間沒有建築物相連，故稱「闕」。還有直接把兩山對峙之處稱為「闕」的。

雀替　015, 207, 263, 272

雀替是中國建築中的特殊名稱，安置於樑或闌額與柱交接處承托樑枋的木構件，可以縮短樑枋的淨跨距離。也用在柱間的掛落下，或為純裝飾性構件。在一定程度上，增加樑頭抗剪能力或減少樑枋間的跨距。宋代稱「角替」，清代稱為「雀替」，又稱為「插角」或「托木」。

S

四角攢尖頂　030, 152, 212

中國古建築屋頂樣式之一。建築物的屋面在頂部交匯為一點，形成尖頂，這種建築叫攢尖建築，其屋頂叫攢尖頂。攢尖頂有單簷、重簷之分，按形狀可分為角式攢尖和圓形攢尖，其中角式攢尖頂有同其角數相同的垂脊，有三角、四角、五角、六角、八角等式樣。圓形攢尖則沒有垂脊。

T

台榭　192

中國古代將地面上的夯土高墩稱為台，台上的木構房屋稱為榭，兩者合稱為台榭。台榭是中國古代建築宮室、宗廟中常用的一種建築形式，具有防潮和防禦的功能。

抬樑　204

古代木構建築的主要結構體系，抬樑式又稱疊樑式，是在立柱上架樑，樑上又抬樑。使用範圍廣，在宮殿、廟宇、寺院等大型建築中被普遍採用，更為皇家建築羣所選，是木構架建築的代表。尤其是在我國北方地區，室內少柱甚至無柱，空間大，耗材多。

天花 藻井　016, 017, 030, 037, 040, 047, 052, 092, 126, 136, 152, 218, 246, 248, 249, 250, 251, 252, 253, 254, 255, 256, 257, 258, 259, 260, 261, 262, 275, 277

天花亦稱頂棚，是建築物內用以遮蔽樑以上部分的構件。建築內呈穹窿狀的天花則稱作「藻井」，這種天花的每一方格為一井，藻井通常位於室內的上方，呈傘蓋形，由細密的斗拱承托，象徵天宇的崇高。藻井上一般繪有彩畫、浮雕。藻井與普通天花都屬於室內裝修的一種，但藻井只能用於最尊貴的建築物，像神佛或帝王寶座頂上。

W

望柱頭 042, 202, 203, 296, 298
望柱也稱「欄杆柱」，是古代建築和橋樑的欄板。和欄板之間的短柱，有木造和石造。望柱分柱身和柱頭兩部分，望柱頭部，常雕飾有龍、鳳、獅、猴等動物形象，或草、葉、花、果等植物紋樣，形式為圓雕和浮雕。

廡房 038, 092, 099, 176, 189, 272
一般指比較長的、進深較淺的，圍繞在大型殿宇、高堂下周圍的廊房、廂房。

X

下馬碑 028, 029
舊制在宮殿及孔子廟前，東西各立一碑，碑文為「文武官員至此下轎下馬」，故稱為「下馬碑」。相傳始於明憲宗時。

歇山捲棚頂 135
歇山捲棚頂無正脊，屋脊部位形成弧形曲面的一種山頂樣式，為歇山式屋頂之一種。歇山有一條正脊、四條垂脊、四條戧脊，故又稱此類建築為九脊殿。

須彌座 015, 016, 033, 042, 055, 136, 173, 192, 193, 284, 288, 290, 297
又名「金剛座」「須彌壇」，源自印度，係安置佛、菩薩像的台座。後來代指建築裝飾的底座，其側面上下凸出，中間凹入，是由佛座逐漸演變而來。

懸山式 132
中國古代建築屋頂樣式，屋面伸出山牆之外，所以民間也稱其為「挑山」「出山」。懸山頂等級上低於廡殿頂和歇山頂，僅高於硬山頂。因為早年製磚業不很發達，牆垣用土，為保護山牆免遭風雨浸蝕就需將屋面挑出牆外，因此這種屋頂形式被大量用於普通的民間居室之上。

尋杖 198
尋杖也稱巡杖，是欄杆上部橫向放置的構件。欄杆中使用尋杖目前所知最早為漢代，並且最初是圓形，後來逐漸發展出方形、六角形和其他一些特別的形式。

Y

掖門 025
宮殿正門兩旁的邊門。

楹 028, 080, 113, 235
本義為堂屋前部的柱子。作量詞為古代計算房屋的單位。

Z

雉堞 022
又稱齒牆、垛牆、戰牆，是古代在城牆上面修築的鋸齒狀的矮牆，守城人可藉以掩護自己。

主要參考文獻

《大明會典》
[明] 申時行等重修
明萬曆年刊本。

《明史》
[清] 張廷玉等撰
中華書局，1974 年第一版。

《明實錄》
江蘇圖書館傳抄本
1940 年。

《明宮史》
[明] 劉若愚著
北京古籍出版社，1980 年。

《明會要》
[清] 龍文彬撰
光緒年刊本。

《春明夢餘錄》
[清] 孫承澤撰
光緒九年刊本。

《天府廣記》
[清] 孫承澤撰
北京出版社，1962 年。

《萬曆野獲編》
[明] 沈德符著
中華書局，1959 年。

《清史稿》
趙爾巽等修
中華書局，1977 年第一版。

《大清會典》
清雍正年刊本。

《欽定大清會典事例》
[清] 托津等撰
清嘉慶年刊本。

《東華錄》
[清] 王先謙撰
長沙王氏刊本。

《大清會典事例》
清光緒年印本。

《國朝宮史》
[清] 于敏中等撰
東方學會據乾隆版鉛印本，
1925 年。

《國朝宮史續編》
[清] 慶桂等編
故宮博物院，1932 年。

《欽定內務府現行則例》
故宮博物院，1937 年。

《順天府志》
[清] 繆荃孫等纂修
清光緒年刊本。

《畿輔通志》
[清] 黃彭年等纂
光緒年刊本。

《日下舊聞》
[清] 朱彝尊撰
康熙二十七年刊本。

《日下舊聞考》
[清] 于敏中等編纂
乾隆四十三年刊本。

《金鰲退食筆記》
[清] 高士奇著
北京古籍出版社，1980 年。

《天咫偶聞》
[清] 震鈞著
光緒年刊本。

《宸垣識略》
[清] 吳長元輯
光緒年刊本。

《翁文恭日記》
[清] 翁同龢撰
上海涵芬樓影印本 1952 年。

《工程作法》
清雍正九年纂
乾隆元年刊本。

《內庭工程作法》
清雍正九年纂
乾隆元年刊本。

《清故宮文淵閣實測圖說》
梁思成、劉敦楨著
《中國營造學社匯刊》第六卷
第二期。

《清皇城宮殿衙署圖年代
考》
劉敦楨著
《中國營造學社匯刊》，第六卷
第三期。

《故宮》
單士元著
《文物參考資料》，1957 年第
一期。

《元大都城平面規劃述略》
王璞子著
《故宮博物院院刊》總第二期，
1960 年。

《故宮三大殿》
于倬雲著
《故宮博物院院刊》，總第二期，
1960 年。

《文淵閣》
單士元著
《故宮博物院院刊》，1979 年第
二期。

《太和門》
王璞子著
《故宮博物院院刊》，1979 年第
三期。

《故宮午門彩畫的復原》
王義章著
《故宮博物院院刊》，1979 年第
四期。

《乾隆花園的造園藝術》
于倬雲、傅連興著
《故宮博物院院刊》，1980 年第
三期。

《紫禁城宮殿屋頂式樣》
賈俊英、鄭連章著
《故宮博物院院刊》，1980 年第
三期。

《慈寧宮花園》
茹競華、鄭連章著
《故宮博物院院刊》，1981 年第
一期。

《建福宮花園遺址》
傅連興、白麗娟
《故宮博物院院刊》，1980 年第
三期。

《紫禁城》
北京故宮博物院雜誌社編
《紫禁城》第一期至第十二期
（1980—1982 年）。

出版
説明

紫禁城，今又稱故宮，位於中國北京。原是明、清兩代的皇宮，也是當時的政治中樞。凡四百九十一年，共二十四個皇帝，曾在這裏發號施令，主宰全國。長久以來，這裏代表了權威，也充滿了神秘。

中國古典建築的最大特色是以宮室為中心。二十世紀以前，無論技術和藝術，基本表現在帝皇所用的宮殿、園囿之上。所以宮殿建築成為欣賞和研究中國傳統建築技術和藝術的典範。中國歷史上雖曾有過不少著名的宮殿建築，但迄今尚保存完整的，只有紫禁城宮殿。它不僅是中國現存規模最大的古建築群，也是世界上無以倫比的古代宮殿建築群，是人類文明史上的不朽傑作。

為了全面揭開紫禁城宮殿的面貌，使人對之有廣泛和深入的認識；並系統介紹紫禁城宮殿的建築藝術，以此展示中國傳統建築的技術和藝術，北京故宮博物院和香港商務印書館遂合作編輯出版這部《紫禁城宮殿》（2022 年再版改名為《故宮‧宮殿》）大型畫冊。

本畫冊由北京故宮博物院古建部副主任、高級工程師于倬雲先生主編，協助編撰的都是故宮有關方面的專家。文字分導論、分論及圖片說明三方面，共八萬餘字。全部圖片共 564 幀，其中正圖 467 幀（內彩圖 265 幀，黑白 202 幀），插圖 67 幀，建築墨線圖 30 幀。結構編排，除導論和附錄外，主要按建築物的使用功能、建築類型、附屬建築及設施分成三大部分。內容所及，大自整體佈局到單座宮殿，小自一樑一棟到一雕一刻，無不賅備。以有限的篇幅，容納龐大的內容，全面而集中地展示了紫禁城宮殿及其藝術。

畫冊內主要攝影圖片，是由香港和北京故宮專業攝影師合作拍攝而成。為照片的拍攝，故宮博物院予以前所未有的方便，平日參觀故宮無法看到、迄未開放的場所，都攝製了大量珍貴的圖片，初次公諸於世。並且動用了大量人力物力，為拍攝工作創造了條件，使照片的質量和構圖，都能令人一新耳目。即如絕大部分攝影照片不摻入近人近物，以保持畫面粹美，突出了原有的氣氛和風貌，這在參觀者日以萬計的紫禁城，是要克服很大困難才能做到。

畫冊內還有各類型珍貴詳盡的圖表，參考價值極高。

主編
簡介

于倬雲

(1918—2004)

中國古建築專家,故宮博物院教授級高級工程師。曾
任國家文物局古建工程委員會委員,1954 年調入故
宮博物院,1979 年任故宮博物院古建部主任。主持
設計或修復、維修的古建工程近百項。

故宮・宮殿

主　　編	于倬雲	
攝　　影	高志強　胡　錘	
責任編輯	陳萬雄(初版)　徐昕宇(2022 改編本)	
封面設計	涂　慧	
出　　版	商務印書館(香港)有限公司	
	香港筲箕灣耀興道 3 號東滙廣場 8 樓	
	http://www.commercialpress.com.hk	
發　　行	香港聯合書刊物流有限公司	
	香港新界荃灣德士古道 220-248 號荃灣工業中心 16 樓	
印　　刷	中華商務彩色印刷有限公司	
	香港新界大埔汀麗路 36 號中華商務印刷大廈	
版　　次	2023 年 1 月第 1 版第 2 次印刷	
	© 2022 商務印書館(香港)有限公司	
	ISBN 978 962 07 5899 7	
	Printed in Hong Kong	

版權所有　不得翻印